COMMENT VAINCRE LES MALADIES PSYCHOSOMATIQUES

Roger Foisy N.D., Ph.D.

COMMENT VAINCRE LES MALADIES PSYCHOSOMATIQUES

Roger Foisy N.D., Ph.D.

Comment vaincre les maladies psychosomatiques

La première édition de cet ouvrage fut publiée aux éditions de l'Homme en 1971

Dépôt légal :
Bibliothèque nationale du Québec
1er trimestre 1987

Imprimé au Canada / Printed in Canada
Mars 1987

ISBN : 2-920878-02-6

EdiLazer
C.P. 294, Succursale Snowdon, Montréal H3X 3T4

Diffusion en librairies : Flammarion

SOMMAIRE

INTRODUCTION

Qui ne souhaite vivre toujours en bonne santé ? C'est un rêve que plusieurs caressent mais que très peu réalisent. Pourquoi ? Pour y arriver, il faut vivre et mettre en pratique tous les facteurs de santé en obéissant aux lois de la nature.

Certains, très souvent inconsciemment, appliquent jusqu'à un certain point la plupart des principaux facteurs de santé. Ainsi ils atteignent un âge avancé.

D'autres, à cause de leurs habitudes malsaines, brûlent plus ou moins la chandelle par les deux bouts. Ils acceptent de vivre avec toute la kyrielle des maladies qu'apporte leur mode de vie dénaturé, camouflant ou anesthésiant leurs malaises avec des médicaments qui accentuent encore plus leur état maladif, leurs souffrances. Ils ignorent volontairement ou non les lois naturelles de la santé. Cela les mène directement à une mort prématurée.

Les fervents de l'approche holistique — eux — ont découvert les lois de la santé. En dépit d'un milieu et d'un contexte souvent dénaturés, ils essaient de vivre le plus possible toutes ces lois. Ils ont compris que, dans la vie, on n'a rien pour rien, la santé non plus. Ils font donc les efforts nécessaires pour la conserver ou la recouvrer. Ils jouissent ainsi d'une santé supérieure à celle de la moyenne des gens.

PREMIÈRE PARTIE
LES PRINCIPAUX FACTEURS DE SANTÉ

Quels sont les principaux facteurs de santé ?

L'hérédité
Le repos
L'exercice
Le soleil
La propreté
L'alimentation
L'air
La sérénité intérieure (l'équilibre mental et émotif)

Les principaux facteurs de santé

L'hérédité

Nous naissons avec *une réserve énergétique d'adaptation limitée*, déterminée par notre hérédité et, partant, variable selon les individus. Cette « réserve énergétique d'adaptation », employée dans des conditions normales, saines et naturelles, nous permet de vivre un nombre d'années déterminé à l'avance.

Certains, malgré une abondante réserve héréditaire, brûlent la chandelle par les deux bouts et meurent prématurément. Pourquoi ? Ils ont tout simplement enfreint toutes les lois naturelles de la santé, épuisant ainsi leur réserve énergétique d'adaptation.

D'autres, malgré une réserve héréditaire beaucoup plus faible, en obéissant aux lois naturelles de la santé, tirent profit au maximum de cette réserve énergétique d'adaptation et vivent beaucoup plus longtemps. C'est l'idéal holistique.

Le repos

« J'ai beau essayer de me reposer, j'ai toutes les misères du monde à me relaxer, à me détendre, à m'endormir ! » De tous les produits pharmaceutiques, ceux qu'on vend le plus sont les somnifères et les calmants. On en vend pour des centaines de millions de dollars annuellement. Pourquoi ? Nous vivons au siècle de la vitesse, du stress. Vite, toujours plus vite ! La nature, elle, n'est pas pressée. Ce qu'il y a de plus pressant, c'est d'apprendre à ne plus se presser, à prendre le temps de bien accomplir ses tâches et de se reposer. Il nous faut prendre le temps nécessaire pour apprendre ou réapprendre à nous reposer.

Il y a plusieurs sortes de repos, chacune convenant à chaque fonction de notre organisme : le repos physique, le repos physiologique, le repos sensoriel, le repos mental et émotif, etc.

Tous les facteurs de santé sont conditionnés par le facteur « mental et émotif », et le repos ne fait pas exception. Dans ce siècle de nervosité, d'anxiété, il est essentiel de se relaxer totalement si on veut se reposer et rayonner de santé.

Plusieurs exercices de relaxation physique et mentale nous sont suggérés dans cet ouvrage. Ainsi notre sommeil sera plus reposant et, quoi que nous fassions durant la journée, nous serons moins tendus, plus relaxés.

Ceux qui souffrent d'hypertension, d'insomnie, devront supprimer au plus tôt les stimulants, toute nourriture dégénérée, acquérir progressivement l'habitude de s'alimenter naturellement, de s'exercer physiquement, de s'oxygéner, et surtout apprendre à se relaxer physiquement, mentalement et émotivement. Sans contrôle mental et émotif, le sommeil, la relaxation, la détente et le repos sont impossibles.

L'exercice

« Je suis trop occupé. Je n'ai pas le temps de pratiquer d'exercices physiques ! » Ceux qui parlent ainsi sont les premiers à en souffrir : dégénérescence musculaire, sclérose, auto-intoxication, anémie, mauvaise circulation, troubles cardiaques, manque d'oxygénation, hypertension, déviations de la colonne vertébrale, dépressions, et j'en passe.

Idéalement, un programme complet d'exercices devrait comprendre principalement :
— des exercices d'endurance cardio-pulmonaire (les plus importants) ;
— des exercices de souplesse ;
— des exercices de force.

Cependant, pour l'homme et la femme modernes, un tel programme, pour être efficace, exigerait souvent trop de leur temps. En conséquence, une bonne séance quotidienne d'hatha-yoga comprenant des exercices de respiration, de posture, de relaxation physique et mentale — le tout pratiqué progressivement — est souvent la solution idéale pour les adultes et apporte ainsi un maximum de résultats en un minimum de temps.

Après une bonne séance d'exercices, il est habituellement plus facile de se détendre, de se reposer, de fournir un nouvel effort intellectuel.

Le physique influence le mental, et vice versa. Notre attitude intérieure «mentale et émotive» détermine jusqu'à un certain point les bénéfices que nous retirerons de nos exercices physiques, comme de tous les autres facteurs de santé.

Le soleil

Le soleil est un des plus puissants régénérateurs du corps humain. Prenons le plus souvent possible des bains de soleil, progressivement, dans un état de nudité complète de préférence. À défaut, dévêtons-nous le plus possible. Mais attention, n'exagérons pas, autrement l'effet contraire se produira. Le soleil deviendra ainsi une source d'énervation.

Le soleil nous aide à assimiler le calcium. Il nous apporte de la vitamine D que notre corps emmagasine pour mieux résister par la suite à nos rigoureux hivers canadiens.

Nombre de gens semblent tomber dans deux extrêmes. En été, ils se font brûler au deuxième degré pendant toute la saison, se faisant plus de tort que de bien, pour s'enfermer pendant l'hiver dans des maisons surchauffées, sans presque jamais sortir pour bénéficier du soleil hivernal.

D'autres ne sortent pas davantage en hiver, et fuient le soleil d'été comme la peste, ne voulant pas tomber dans l'abus de ces « rôtis humains ». Ils n'oseront jamais exposer au soleil la moindre partie de leur corps. « C'est mauvais pour la santé », disent-ils. Ici encore l'équilibre, le juste milieu est de rigueur. Il faut user de bains de soleil régulièrement et progressivement, sans en abuser.

En hiver, si les bains de soleil sont plus difficiles à prendre, des bains de lumière et d'air peuvent compenser. Pratiquons-les progressivement, la fenêtre ouverte, ainsi que le docteur Robert G. Jackson l'expose dans ses écrits. On néglige trop souvent cet aspect pratique.

Un magnifique soleil qui brille au milieu d'un beau ciel bleu — sans nuages — influence le moral. Mais pour bien apprécier toute la valeur, tous les bienfaits du soleil, il nous faut maintenir cet équilibre intérieur qui conditionne et influence tous les aspects de notre vie, y compris notre emploi judicieux du soleil.

La propreté

Notre peau excrète une partie appréciable des déchets produits par notre organisme. Si nos pores sont encrassés, comment pourra-t-elle jouer son rôle ? Il est donc nécessaire de prendre quotidiennement un bain ou une douche.

Ceux qui souffrent d'hypertension, d'insomnie, trouveront profit à prendre un bain chaud (mais pas trop) avant de se retirer pour la nuit. Ils pourront y ajouter des sels marins et en profiter pour pratiquer un exercice de relaxation physique et mentale.

Il ne faut pas cependant abuser du savon, qui irrite la peau. Le savon a tendance à enlever l'huile naturelle lubrifiante. Notre peau doit donc produire davantage de cette huile. Toutefois, dans la vie courante, il est des situations où nous ne pouvons nous en passer. Il s'agit alors de se procurer des savons naturels dans les magasins de produits de santé. Cependant, l'eau demeure toujours l'agent nettoyant par excellence qui assure notre propreté.

Notre corps sera maintenu propre si nous sommes convaincus intérieurement d'une telle nécessité. Que de gens déprimés, fatigués, hypertendus négligent trop souvent ce bain quotidien qui leur apporterait en partie cette détente physique qu'ils recherchent, tout en nettoyant leur corps.

Une propreté mentale et sensorielle s'accompagne toujours d'une propreté corporelle. Le contraire n'est pas toujours le cas. Cette propreté extérieure doit aussi s'accompagner d'une propreté intérieure. Ce qui nous amène à un autre facteur de santé très important : l'alimentation.

L'alimentation

Dans l'approche holistique, l'un des principaux moyens de guérison utilisés est l'alimentation naturelle. Qu'entendons-nous par aliment naturel ?

NATUREL
C'est-à-dire sans agent de conservation, sans colorant, sans additifs.

ORGANIQUE
C'est-à-dire cultivé sans engrais chimiques, sans insecticide.

FRAIS
Consommé le plus tôt possible après avoir été cueilli, mûri à point.

CRU
Non altéré par la cuisson. (Les céréales et certains légumes doivent être mangés cuits.)

Mais la majeure partie de notre alimentation devrait se composer d'aliments crus dans une proportion d'au moins 60 %. Il faut y arriver cependant progressivement.

IL NOUS FAUT DONC ÉLIMINER :

— le sucre blanc et ses dérivés ;
— la farine blanchie et ses dérivés ;
— les conserves ;
— les graisses animales ;
— les sauces ;
— les fritures ;
— le thé et le café ;
— le chocolat ;
— le sel de table ordinaire (gemme) et le poivre ;
— les boissons gazeuses ;
— l'alcool.

REMPLAÇONS LE TOUT PAR :

— des fruits et des légumes organiques frais et crus (ces aliments devraient éventuellement constituer au moins 60 % de notre alimentation) ;
— des jus de fruits et de légumes frais ;
— des céréales organiques entières ;
— des huiles végétales de première pression à froid ;
— de la mélasse non sulfurée ;
— des miels naturels ;
— des fines herbes et des assaisonnements naturels ;
— des légumineuses organiques ;
— des produits laitiers écrémés, non pasteurisés si possible ;
— des viandes maigres de qualité (pour ceux qui ne sont pas végétariens) ;
— comme breuvage, nous pouvons prendre de l'eau de source pure, des jus de fruits et de légumes frais, organiques, des tisanes et des cafés naturels.

Éviter de boire, dans la demi-heure qui précède chaque repas et les deux heures qui le suivent. Ne jamais boire en mangeant.

Il ne s'agit pas uniquement de manger des fruits et des légumes frais, cultivés organiquement dans un sol bien minéralisé, ayant beaucoup de vitalité. Il faut aussi digérer et assimiler ces aliments pour en tirer le plus grand profit. Pour cela...

1. MASTIQUONS... MASTIQUONS... MASTIQUONS...

Nous devrions mastiquer nos aliments solides au point d'en faire des liquides, et mastiquer nos aliments liquides, nos jus, comme s'ils étaient des solides. Ainsi nous ne nous tromperions pas. De nouvelles habitudes devront nécessairement être développées. Certains exercices de « visualisation », soir et matin, conditionneront le subconscient à cette fin et aideront grandement le néophyte à adopter de nouvelles habitudes alimentaires, sans trop d'efforts.

2. MANGEONS MOINS

Manger des aliments organiques naturels n'est pas une excuse pour s'empiffrer. Vaut mieux manger un peu moins bien avec beaucoup de modération que de se gaver d'aliments naturels. D'autre part, ce n'est pas la quantité qui compte, mais la qualité. En somme, il s'agit de retirer le plus d'énergie possible de son alimentation, et d'en économiser le plus possible en l'assimilant.

3. ÉVITONS DE MANGER DU SUCRE AVEC DES FÉCULENTS

Le docteur Shelton, dans son livre "Food Combining Made Easy", expose en détail ses théories sur les combinaisons alimentaires. En pratique, pour le néophyte, il serait bon de simplifier cette question en insistant davantage sur la principale combinaison à éviter : on ne doit jamais manger au même repas des sucres et des féculents.

Ces aliments sont incompatibles. Les sucres se digèrent dans un milieu acide ; les féculents dans un milieu alcalin. Pris ensemble, ces deux types d'aliments se nuisent, fermentent, perturbent le système digestif, encrassent le sang et occasionnent ainsi une foule de maladies.

En évitant cette mauvaise combinaison, la santé s'améliore grandement. Les autres combinaisons alimentaires pourront être intégrées dans le régime, mais progressivement.

4. SÉRÉNITÉ INTÉRIEURE (attitude mentale et émotive)

Tout repas devrait être un moment de détente et de joie. La meilleure nourriture, consommée dans un état de tension, de colère ou de haine, peut devenir un violent poison. Même une nourriture dévitalisée, en quantité modérée, consommée dans un état de détente et de joie, sera moins dommageable à l'organisme. Apprenons à contrôler nos émotions, notre imagination, nos pensées de façon positive. Nous digérerons et nous assimilerons mieux nos aliments naturels.

L'air

Nous ne sommes pas uniquement ce que nous mangeons et ce que nous buvons, mais aussi ce que nous respirons. Quand nous parlons d'alimentation naturelle, trop souvent nous sommes portés à oublier que *l'humain se nourrit surtout d'air.*

Notre nourriture consiste par ordre d'importance : premièrement d'air, deuxièmement de liquides, troisièmement de solides. Ainsi, l'air pollué affecte encore plus notre santé qu'une mauvaise alimentation.

Il est intéressant de remarquer que la plupart des centenaires ont vécu la majeure partie de leur vie à la campagne, loin des villes où l'air est vicié.

La respiration est la première et la plus importante fonction de notre corps. Toutes les autres fonctions lui sont secondaires et en sont dépendantes. Elles ont pour but de maintenir l'organisme en condition afin qu'il puisse s'acquitter de sa fonction principale : respirer.

Tous les jours, nos poumons consomment normalement environ 777 000 pouces cubes d'air, purifient 125 barils de sang et éliminent suffisamment de poisons pour tuer douze éléphants.

Faut-il être surpris si les poumons sont les plus volumineux, les plus vitaux de tous nos organes. Notre coeur joue le rôle de « second violon » comparé à nos poumons.

Si l'air est si important pour vivre en santé, comme notre corps doit être affecté par l'air vicié de nos villes, de nos maisons, et par ceux qui fument ! Il est presque impossible aujourd'hui de respirer de l'air non pollué. Par exemple, il nous faut aller à plus d'une centaine de milles de Montréal pour ne pas en être affectés.

De plus, l'air stagnant, comme l'eau stagnante, s'empoisonne et se pollue. Les orages, les vents, les ouragans, les tornades purifient l'air.

Aérons nos maisons, même en hiver. Un éventail électrique fera circuler l'air. N'ayons pas peur des courants d'air. Au contraire, il faut que l'air soit en mouvement. La nuit, prenons l'habitude de dormir la fenêtre grande ouverte. Nous serons les premiers à en bénéficier.

Nous n'avons plus le choix, il nous faut sortir des grands centres urbains. À défaut, demeurons dans un coin de la ville entouré d'arbres et de verdure, là où l'air est moins pollué. Allons à la campagne le plus souvent possible, tous les week-ends de préférence, pour nous oxygéner en profondeur.

Même si nous vivons dans un endroit où l'air est très pur, si nous ne respirons pas de la bonne façon, nous ne bénéficierons pas pleinement des effets positifs d'une telle oxygénation. C'est pourquoi l'homme et la femme modernes devraient se conditionner à la respiration profonde. Celle-ci doit devenir éventuellement une seconde nature. Rappelons-nous que *l'humain se nourrit surtout d'air.*

LE PLUS IMPORTANT, LE PLUS NÉGLIGÉ : LA SÉRÉNITÉ INTÉRIEURE (l'équilibre mental et émotif)

L'alimentation consiste-t-elle uniquement à respirer, boire et manger ? Non. Nous irons plus loin en prouvant que l'alimentation la *plus importante* de l'humain, c'est l'alimentation de ses *pensées*, de son *imagination*, de ses *émotions*. Nos pensées, notre imagination, nos émotions alimentent à leur tour constamment notre subconscient qui, lui, contrôle jusqu'à un certain point notre état de santé. Qu'arriverait-il à toute personne forcée de manger ce qu'il y a de mieux en fait d'aliments naturels,
de respirer l'air le plus pur de la montagne,
de faire de l'exercice régulièrement,
de prendre des bains de soleil quotidiennement,
tout en étant convaincue que ces facteurs de santé lui font plus de tort que de bien, si cette conviction est maintenue de façon constante ? Cette personne deviendrait malade et pourrait même en mourir. C'est ce que nous démontrerons au cours des prochaines pages.

Notre façon habituelle de penser, de réagir devant les événements, notre imagination, nos croyances façonnent et créent notre santé physique, mentale et spirituelle. Ce qu'un humain pense et ressent toute la journée, il le devient.

Pourquoi cet humain qui semble irréligieux jouit-il d'une santé rayonnante tandis que cette autre personne apparemment dévouée, religieuse, est torturée dans son corps et dans son esprit ? Y a-t-il une réponse à cette question dans le fonctionnement du conscient et du subconscient ? Certainement, sans l'ombre d'un doute.

Nous pouvons réaliser l'équilibre harmonieux de notre conscient et de notre subconscient en dirigeant cette harmonie vers un but spécifique : notre santé radieuse.

Nous possédons en nous un réservoir illimité de possibilités… de santé. À nous de découvrir cette source, ce filon qui transformera notre vie. Dans cet exposé, nous découvrirons certains principes, certaines techniques, des exercices, un « modus operandi », qui transformeront notre santé… notre vie.

DEUXIÈME PARTIE
LA PLUS GRANDE DÉCOUVERTE

TOUT EST « ÉNERGIE »

Nous vivons dans un monde cosmique qui évolue, change, se transforme constamment. Einstein et d'autres scientifiques célèbres affirment que la masse (la matière) se transforme en énergie et que l'énergie se transforme en masse (en matière). En fait, tout dans cet univers matériel est énergie... même et surtout nos pensées.

Nos pensées (énergie) deviennent des choses (masse-matière). Les ulcères sont de l'énergie condensée ou des pensées, des émotions négatives condensées. Einstein affirme que la matière, c'est de l'énergie réduite au point de visibilité. Ainsi l'énergie et la matière sont interchangeables, l'une devenant l'autre et vice versa. Notre propre corps n'est rien d'autre qu'une condensation, qu'une concentration d'énergie vibrant au point de visibilité de nos cinq sens. En effet, il ne faut pas juger selon les apparences.

Nous savons qu'un morceau d'acier est en réalité poreux et composé de milliards d'électrons, voyageant de façon ordonnée et rythmique autour de leurs noyaux. Un morceau d'acier n'est rien d'autre que de l'énergie. Proportionnellement, l'espace entre un noyau et ses électrons correspondent à l'espace entre le soleil et ses planètes.

Notre corps est une combinaison d'ondes, de vibrations lumineuses réagissant les unes sur les autres constamment.

Tout dans l'univers est énergie à différents degrés de densité, de fréquences, de vibrations, que ce soient nos pensées, nos émotions, nos sens ou notre corps.

Ainsi pouvons-nous expliquer les expériences du docteur Charles Littlefield, qui a prouvé que l'humain est ce qu'il pense, ce qu'il imagine, ce qu'il ressent à longueur de journée. En se concentrant dans son microscope sur une solution saline, il a découvert que sa pensée concentrée prenait forme. Un jour, il concentra son attention de façon soutenue sur une vieille dame « maigrichonne » et ensuite il reporta son regard sur la solution saline où, à sa grande surprise, il trouva la forme, la silhouette miniature, exacte, de la vieille dame. Jour après jour, il se concentra sur certaines images mentales. Sans exception, ces images mentales prenaient forme dans la solution saline de son microscope. Cela indique clairement que nos pensées se matérialisent. Nos pensées se condensent dans nos muscles, notre peau, nos nerfs, nos organes, bref, dans tout notre corps.

À l'Université d'Oxford, on a pris des photographies du cuir chevelu d'une personne en intense période de concentration sur un couteau. On a découvert sur les photos, juste au-dessus du cuir chevelu, la forme de ce couteau dans ses moindres détails. Nos pensées ne sont rien d'autre que des vibrations ou de l'énergie très subtile. Ce qu'on appelle communément la matière n'est, en fin de compte, que des vibrations, de l'énergie plus grossière, plus concentrée.

AUTRES EXPÉRIENCES SIGNIFICATIVES

Les expériences du docteur Fred Crawford

Le docteur Fred Crawford, du Richmond College de l'État de New-York, et docteur en psychologie de l'Université de Californie du Sud, a développé la technique suivante : à l'aide d'un équipement électronique, une personne peut volontairement influencer un objet par sa pensée, le faire bouger, le contrôler. Comment cela est-il possible ? Grâce à la myoélectricité.

La myoélectricité est une science qui étudie les rapports entre les muscles et l'électricité. Par exemple, le docteur Crawford attache des électrodes au bras d'un étudiant assis confortablement et lui dit : « Maintenant, pense. » L'étudiant pense et un petit tracteur jouet, sur une table en face de lui, commence à bouger. Il avance, recule, tourne en rond, à droite, à gauche. Le jeune homme, par la force de sa pensée, sans toucher au tracteur, l'a fait bouger à volonté.

Le docteur Crawford, devant la simplicité du principe impliqué, se dit surpris de constater que si peu de recherches aient été faites sur ce sujet avant lui. Notre pensée peut influencer les objets extérieurs à nous en employant, entre autres, la puissance électrique de nos muscles.

Il y a de nombreux muscles dans le bras d'une personne. L'électricité de ces muscles peut être utilisée afin de faire bouger un objet par la pensée. L'impulsion électrique normale des muscles de l'avant-bras varie de 1/25e à 1/50e de un millionième de volt. Après avoir attaché des électrodes à la surface ou près des muscles impliqués dans un mouvement spécifique, on demande au sujet de visualiser une action déterminée, ce qui cause ainsi une activité myoélectrique. Cette impulsion électrique est reçue et amplifiée un million de fois par un appareil électronique. Les muscles impliqués et l'objet à faire bouger sont reliés par des fils à cette machine électronique. Il en résulte que l'objet, en l'occurrence un tracteur jouet, bouge réellement.

Le docteur Rhine, directeur du laboratoire de parapsychologie de Duke University, a prouvé lui aussi, par ses nombreuses expériences, l'influence de la pensée sur la matière.

Si notre pensée, notre imagination peuvent influencer les objets extérieurs, à plus forte raison peuvent-ils influencer notre propre corps et les cellules qui le composent.

Un yogi au Mexique

Il y a quelques années, j'assistai à Mexico aux exploits d'un yogi qui contrôle par sa pensée la plupart des organes qui habituellement fonctionnent automatiquement et inconsciemment chez l'être humain. Voici quelques-uns de ses exploits.

1. En s'assoyant dans une baignoire remplie d'eau, il réussit à renverser les mouvements péristaltiques de son système digestif pour faire monter l'eau de l'anus jusqu'à la bouche en un jet continu, et vice versa.

2. Il avala du verre concassé et le fit sortir au bout de quelques minutes par l'anus.

3. Il avala ensuite du cyanure de potassium employé couramment comme poison à rats. Quelques grains de ce poison violent suffisent à tuer un rat. Il en avala une livre, la rejeta quelques minutes plus tard par l'autre extrémité, sans subir d'effets nocifs.

4. Pour terminer cette soirée plutôt extraordinaire, les personnes aux estomacs les plus sensibles qui n'avaient pas encore quitté la pièce furent priées de le faire sans plus tarder. Notre yogi sortit par l'anus une partie de ses intestins pour les nettoyer devant nous. Toujours par la force de sa pensée, il replaça le tout.

La plupart des gens ignorent la véritable puissance, le rôle et l'influence qu'exercent leurs pensées, leurs émotions, leur imagination sur leur corps, sur leur état de santé.

Elle soulève 3 600 livres

Le 25 avril 1960, à Tampa, en Floride, une maman voit son fils de 16 ans écrasé par une grosse voiture pesant 3 600 livres. Dans un moment d'hystérie, elle prend le pare-chocs de la voiture, soulève l'auto et dégage son fils de sa position plus que précaire. Comment une petite dame peut-elle accomplir un tel exploit ?

LA PLUS GRANDE DÉCOUVERTE

Quelle est la plus grande découverte de tous les temps ?

Le secret de l'énergie atomique ? Les fusées interplanétaires ? Non. Alors, quelle est cette découverte ? **Ce secret merveilleux, c'est la puissance de notre subconscient**. N'est-ce pas là le dernier endroit où la plupart des gens le chercheraient ? Il y a en nous une source de force, de santé, d'énergie vitale négligée, oubliée par la majorité.

Nous pouvons améliorer notre vie, notre santé, notre bonheur en apprenant à contacter, à contrôler cette puissance extraordinaire de notre subconscient. Il ne nous est pas nécessaire d'acquérir cette puissance, nous la possédons déjà. Cependant, nous devons apprendre à l'utiliser. Comprenons son fonctionnement de façon à pouvoir l'appliquer dans notre vie et tout particulièrement à notre santé physique, mentale et spirituelle.

Réalisons-nous le potentiel illimité dont nous disposons ? Il nous faut devenir des experts dans l'art de manier, de mettre en pratique les lois qui régissent le subconscient.

En physique, il est un principe qui dit que « toute matière chauffée se dilate ». Ceci est vrai à tout moment et en tout lieu. Nous pouvons chauffer un morceau d'acier, et il se dilatera, qu'il soit à Montréal, en Inde ou en France. C'est une vérité universelle que la matière se dilate quand on élève sa température.

C'est aussi une vérité universelle que ce qui s'imprègne dans notre subconscient doit se manifester dans notre vie, soit par la santé, soit par la maladie. Nous démontrerons ce principe au cours de notre exposé.

Notre subconscient est soumis à la *loi de la foi*. Qu'est-ce que la foi ? Pourquoi nous est-il absolument nécessaire d'en avoir ? Comment fonctionne la foi ?

Il nous faut croire en la puissance de la foi. Rappelons-nous que ce n'est pas ce en quoi nous avons foi qui est important. C'est plutôt l'intensité de notre foi, de notre confiance. Tel est le facteur déterminant qui produit les résultats. Le tout, il va sans dire, est sujet à la loi de l'action et de la réaction ou, si vous préférez, à la loi de cause à effet.

Comme un écrivain renommé l'a déjà si bien dit : « Qu'est-ce que la foi ? C'est le muscle de notre esprit qui lève les poids trop lourds de notre incertitude ». Comme tous les muscles, la foi peut se développer par l'exercice. Cet exercice est simple et pourtant très efficace.

Notre subconscient obéit à des lois naturelles, comme l'électricité. L'électricité peut électrocuter un homme ou chauffer une maison. Le pouvoir du subconscient, comme celui de l'électricité, est une arme à deux tranchants. Il peut être bien ou mal employé.

Tous ont la foi. Je n'ai pas encore rencontré une seule personne qui n'avait pas la foi. Certaines ont foi, ont confiance, croient du fond du coeur et avec certitude à leurs peurs, à leur haine, à leurs angoisses, à leurs maladies. Celles-ci prennent de plus en plus de place dans leur vie.

D'autres croient à la foi, à la santé, à la vie, au trésor extraordinaire qui se trouve en eux, à la puissance de leurs pensées, de leurs émotions et des images qu'ils entretiennent. Leur vie est transformée proportionnellement à leur foi. « Il nous est fait selon notre foi ».

Saturons-nous de pensées, d'émotions, d'images, de concepts harmonieux de santé, de paix, d'amour, de joie, et quelque chose de merveilleux se produira dans notre vie, dans notre état de santé.

Imagination et volonté

Ce qui différencie l'être humain de l'animal, entre autres, c'est son imagination créatrice. L'humain est beaucoup plus qu'une créature, il est aussi créateur de son bonheur, de sa santé ou de ses malheurs, de ses souffrances, de ses maladies. De toutes les facultés humaines, l'imagination est certainement la plus puissante, celle qui a permis à l'humain d'améliorer son sort, comme aussi de le dénaturer.

N'essayons jamais de forcer notre subconscient à accepter une pensée ou une idée imposée par notre volonté. Une telle démarche est vouée généralement à l'échec. Nous récolterons le contraire de ce que nous désirons.

Nous pouvons vouloir ardemment être en santé. Si nous pensons et répétons constamment : « Je suis de plus en plus malade », nous pourrons désirer être en santé, mais nous resterons toujours malades. Pourquoi ? Notre subconscient ne discerne pas le bien du mal, les pensées négatives des pensées positives. Il les enregistre tout simplement pour les exécuter éventuellement sans discussion. Notre imagination, nos pensées, nos émotions fournissent ni plus ni moins « les modèles » que notre subconscient exécutera, exprimera soit par la santé, soit par la maladie, selon le cas. Personne n'échappe à cette loi. Tous sont soumis à cette loi naturelle.

L'AUTO-IMAGE

Notre cerveau et notre système nerveux ont beaucoup d'analogies avec l'ordinateur électronique. L'étude comparée de la cybernétique, de la téléologie, de la psychologie, de la physiologie nous en donne la preuve.

L'auto-image, l'image qu'on se fait de soi-même ou la conception mentale et spirituelle qu'on a de soi, est la plupart du temps la clef du comportement et de la personnalité. C'est l'auto-image qui limite l'individu dans ses accomplissements, qui définit ce que nous pouvons ou ne pouvons pas faire. Si nous améliorons cette image, le domaine de nos possibilités prend de l'ampleur. Le développement d'une image saine, adéquate et équilibrée de nous-mêmes élargit nos horizons, améliore notre état de santé.

Notre cerveau et notre système nerveux constituent un merveilleux mécanisme complexe, travaillant constamment vers un but salutaire ou néfaste, selon ce que *nous*, les opérateurs, lui avons donné *consciemment ou inconsciemment*.

Loin de nous l'idée matérialiste que l'humain n'est rien d'autre qu'une machine. L'humain possède et emploie un appareil électronique merveilleux : son cerveau, son système nerveux, son subconscient et tout son corps.

L'auto-image est transformée, pour le meilleur ou pour le pire, non pas par notre intellect seulement, mais surtout par notre expérience. Ce n'est pas l'enfant qui comprend intellectuellement, théoriquement ce qu'est l'amour, qui grandit heureux, en santé, épanoui, mais plutôt celui qui a *expérimenté* l'amour. Notre santé mentale, émotive et physique dépend beaucoup plus de ce que nous avons expérimenté que de ce que nous avons appris intellectuellement.

Qu'on s'en rende compte ou non, chacun porte en soi une image mentale, un plan de soi-même. Consciemment, cette image peut sembler très vague, très floue, ou même inexistante. Cependant, elle existe dans ses moindres détails. Cette auto-image est notre propre conception de nous-mêmes, de notre état de santé mentale, émotive, spirituelle et physique. Nous avons conçu cette image de nous-mêmes à partir de nos expériences passées : nos succès, nos échecs, nos peurs, nos joies, nos désirs, nos frustrations, nos souffrances.

Nos actions, notre conduite, nos réactions, notre santé sont soumises à l'image que nous entretenons de nous-mêmes et conditionnées par elle. La meilleure volonté du monde et tous les efforts conscients ne peuvent rien tant que l'image de soi n'est pas changée.

Notre subconscient est un servo-mécanisme créateur, automatique, impersonnel, qui travaille sans arrêt vers le but constructif ou destructeur que nous lui avons donné volontairement ou non. Cette image que nous avons de nous-mêmes limite nos possibilités. Comme tout servo-mécanisme, notre subconscient travaille à partir des renseignements que nous lui fournissons : nos pensées, nos émotions, nos convictions, nos interprétations. Ainsi, nous maintenons-nous malades ou en santé.

La dualité de notre mental

Notre mental possède deux caractéristiques fonctionnelles distinctes:
1. le conscient : objectif, rationnel, volontaire et actif;
2. le subconscient : subjectif, irrationnel, involontaire et passif.

Notre conscient est semblable à une caméra, et notre subconscient à la plaque sur laquelle s'enregistre ou s'imprime l'image. De même que les films sont développées dans l'obscurité, nos images mentales sont développées dans la chambre noire de notre subconscient.

Le capitaine d'un bateau est maître à bord. De la même façon, notre conscient est le capitaine et le maître de ce bateau qu'est notre corps.

Notre subconscient accepte et exécute les ordres que lui donne le conscient par l'entremise de nos pensées, de nos émotions et de notre imagination.

Nous pouvons aussi comparer notre subconscient à un jardin. Nous en sommes le jardinier et nous plantons des semences (nos pensées et nos émotions) dans notre subconscient à longueur de journée. Ce que nous semons dans notre subconscient, nous le récoltons dans notre corps tôt ou tard. Notre subconscient se compare à la terre qui reçoit et produit toutes les sortes de semences, bonnes ou mauvaises. La loi existe, les résultats sont là, que nous aimions cela ou non. Nous voyons ainsi l'importance de contrôler, d'entretenir uniquement... des pensées, des sentiments positifs qui formeront le moule de notre santé.

Nos pensées habituelles, nos émotions imprègnent notre subconscient. Le principal point à retenir c'est qu'une fois que notre subconscient a accepté une idée, il commence immédiatement à l'exécuter. Le travail se fait automatiquement, par associations d'idées, et nous puisons à notre insu dans les sources les plus profondes et intarissables de notre être. Il est intéressant de noter que cette loi du subconscient s'applique autant dans le cas des bonnes que dans le cas des mauvaises idées. Cette loi, employée négativement, est la cause initiale de nombreuses maladies, de beaucoup d'accidents, de dépressions et de frustrations.

Si nous acceptons consciemment comme vrai ce qui est faux, notre subconscient l'acceptera de même, sans faire de distinctions, et produira des résultats en conséquence. De là l'importance de choisir nos pensées, nos idées, de ne pas critiquer mais plutôt d'entretenir des pensées de santé, de joie, d'optimisme.

Nous réalisons maintenant que le rôle de notre conscient est celui du chien de garde et que sa principale fonction est de protéger notre subconscient de toute fausse impression. Chacun de nous a ses propres peurs, croyances et opinions. C'est ce qui gouverne notre vie. Aucune suggestion n'a d'influence sur nous à moins que nous l'acceptions consciemment ou inconsciemment. Toute parole venant d'autrui ne nous influence que si nous la faisons nôtre en l'acceptant. Notre plus grande puissance, c'est la capacité de choisir. Choisissons le bonheur, la santé. Comme Emerson a si bien dit : « Nous sommes ce que nous pensons toute la journée ».

Notre pensée est reçue par notre cerveau, qui est l'organe de notre conscient. Quand notre conscient accepte complètement une pensée, le tout est envoyé au plexus solaire, centre de nos émotions, où le « mariage des deux » (pensées et émotions) devient expérience et se manifeste dans notre vie positivement ou négativement, selon ce que nous avons semé.

L'influence qu'exercent l'un sur l'autre notre conscient et notre subconscient se répercute dans les systèmes de nerfs correspondants. Le système cérébro-spinal est l'organe de notre conscient tandis que le système sympathique est l'organe de notre subconscient. Le système cérébro-spinal est l'instrument par lequel nous recevons les perceptions venant de nos cinq sens. Ce système exerce un contrôle sur les mouvements de notre corps. Il a ses ramifications nerveuses dans notre cerveau, et est l'instrument de notre action mentale consciente et volontaire. Notre système sympathique, communément appelé « système nerveux involontaire », est centré dans la masse ganglionnaire qu'est le plexus solaire. Il maintient les forces vitales de notre corps. Toute pensée, parole ou image maintenue et acceptée comme vraie par notre conscient est envoyée au plexus solaire par notre cerveau et le tout se matérialise.

Les fervents de l'approche holistique soutiennent que notre corps a le moyen de se guérir lui-même si nous lui en donnons la chance, si nous lui fournissons tous les facteurs naturels nécessaires à l'éclosion de la santé. Ainsi, le travail de guérison se fait automatiquement.

Rendons-nous à l'évidence que notre conscient, influencé constamment par nos cinq sens qui sont impressionnés par les circonstances ou les apparences extérieures, engendre souvent des préjugés, des craintes, des pensées négatives, pessimistes. Notre subconscient ainsi influencé produit des effets négatifs (maladies) en conséquence.

Si nous pensons de façon destructrice, ces pensées engendreront des émotions destructrices qui pourront se manifester d'une façon ou d'une autre : par des ulcères, des attaques cardiaques, de la tension, des dépressions, de l'anxiété, des tumeurs, de l'arthrite et le cancer.

Un des premiers principes que nous devons accepter, c'est que notre subconscient n'arrête jamais de travailler, que nous soyons éveillés ou endormis. Il est actif jour et nuit. Il contrôle toutes les fonctions vitales de notre corps sans l'aide de notre conscient. Par exemple, quand nous dormons, notre coeur, nos poumons travaillent et notre sang s'oxygène comme à l'état de veille. Notre subconscient contrôle notre système digestif et glandulaire ainsi que toutes les autres opérations merveilleuses de notre corps. Notre barbe, nos cheveux continuent à pousser, que nous soyons endormis ou éveillés.

Très souvent notre conscient intervient et influence le rythme normal de notre coeur, de nos poumons, le fonctionnement de notre estomac, de nos intestins, de tout notre corps, par nos pensées, nos inquiétudes, nos peurs, nos dépressions. L'énergie de nos pensées habituelles, supportée, amplifiée par nos émotions prend forme et se manifeste dans notre corps. De là l'importance de nous voir en imagination rayonnant de santé. Que cette idée nous enthousiasme, fasse vibrer chaque cellule de notre corps, et notre subconscient acceptera cette pensée et la manifestera.

Si, en sautant dans un taxi, je donne au chauffeur une douzaine d'adresses différentes, il sera tout embarrassé et refusera probablement de me conduire où que ce soit. Il en va de même de notre subconscient. Nous devons lui laisser savoir le but que nous voulons atteindre : la santé, par exemple. Pour cela, nous devons conditionner notre subconscient avec des pensées, des images, des émotions uniquement positives et non pas avec un mélange de positif et de négatif.

Pour rétablir la santé, il s'agit d'aider le subconscient à faire son travail en lui fournissant le plus de facteurs naturels (physiques, mentaux et émotifs) qui permettront l'éclosion de la santé. Ainsi le subconscient, rencontrant moins d'obstacles (stress, énervation), peut procéder plus facilement à la guérison, pourvu, bien entendu, que nous ayons foi et confiance en cette guérison. Cette confiance, cette foi expectative persévérante déterminera en fin de compte si oui ou non nous guérirons. L'instrument primordial de notre guérison c'est notre subconscient. Le catalyseur indispensable c'est notre foi, notre confiance, maintenues.

LA LONGÉVITÉ

J'accumule, depuis plus de 25 ans, coupures de journaux, revues, livres, résultats de recherches gérontologiques, statistiques sur la longévité.

Certains croient que l'exercice physique est le facteur déterminant de leur longévité : la course, la marche, la gymnastique, la culture physique, le travail dur. D'autres croient que c'est parce qu'ils se sont couchés tôt ou parce qu'ils ont eu des habitudes régulières. Certains estiment qu'ils ont vécu vieux à cause de leur régime alimentaire. Ces régimes sont des plus variés : carnivores, omnivores, céréaliens, lacto-végétariens, végétariens ou frugivores. Plusieurs ont bu de l'alcool et fumé toute leur vie. On remarque cependant que presque tous mangent modérément.

Si nous analysons le genre de vie de tous ces centenaires de milieux, de cultures, de moeurs, de coutumes différents, mis à part le facteur héréditaire, il est surprenant de constater qu'en fait ils ont tous *sans exception* un seul dénominateur commun. Quel est-il ?

Le docteur George Gallup et Evan Hill ont minutieusement interrogé 402 Américains, hommes et femmes, de tous les milieux, des quatre coins des États-Unis, qui ont actuellement plus de 95 ans. En bref, nos enquêteurs ont conclu qu'ils ont en commun — sans exception — que leur tranquillité et leur gaieté. Ils ont toujours été et sont encore satisfaits, confiants, maîtres d'eux-mêmes. Ils ne se font pas de soucis et ont su garder le sens de l'humour, quelles qu'aient été les circonstances. Ils n'ont jamais cessé d'aimer la vie. Ils ignorent ce que sont les maladies psychosomatiques.

Le docteur Jean-Paul Duruisseau, biochimiste, directeur de l'Institut de gérontologie de Montréal, a analysé à son tour la vie de plusieurs centenaires. À part l'hérédité, le seul trait commun de tous ces centenaires — sans exception — était « qu'ils ne s'en font pas » tout en essayant de résoudre leurs problèmes du mieux qu'ils peuvent. C'est ce que le docteur Duruisseau appelle du « fatalisme actif ». Il a remarqué aussi la constance de leur foi. N'importe laquelle pourvu qu'ils aient la foi ! Ils se sont aussi toujours intéressés à la vie.

Le docteur Duruisseau admet que l'alimentation naturelle a aussi un rôle important à jouer dans la longévité. Cependant, il croit que l'anxiété est l'un des principaux facteurs qui diminuent cette longévité. « Il faut savoir prendre la vie du bon côté, malgré tout, si nous voulons, affirme-t-il, atteindre un âge respectable. »

TROISIÈME PARTIE
LES MALADIES PSYCHOSOMATIQUES

Les rapports du docteur Franz Alexander et de la clinique Oschner

Le directeur de l'Institut de recherches psychiatriques et psychosomatiques du Mount Sinai Hospital à Los Angeles, le docteur Franz Alexander, résume admirablement le problème psychosomatique : « L'esprit régit le corps. Tel est le fait le plus important que nous connaissons quant au développement de la vie humaine, de la maladie et de la santé. Toutes nos émotions sans exception sont accompagnées de modifications physiologiques. La crainte se traduit par des palpitations. La colère, par une accélération cardiaque, par l'élévation de la tension artérielle et par la modification du métabolisme des hydrates de carbone. »

Un autre rapport établi cette fois par la clinique Oschner, à la Nouvelle-Orléans, fait ressortir que plus de 80 % des maladies courantes sont d'ordre psychosomatique.

Ne croyons surtout pas qu'il s'agisse de maladies imaginaires, loin de là. Ces maladies sont causées par « notre réaction négative » face aux événements, aux difficultés de notre vie quotidienne : soucis, ennuis, haines, colères, rancunes, jalousies.

Un homme en colère pâlit ou rougit. Ses yeux se dilatent. Ses muscles se contractent si fortement qu'il en tremble. Dans une fureur *extrême*, les artères de son coeur se serrent avec une telle force qu'il peut tomber raide mort.

La honte fait rougir nombre de gens par simple dilatation des vaisseaux sanguins du visage.

Certaines personnes, à la seule vue du sang, vomissent ou s'évanouissent. Le sang éveille en eux des pensées, des émotions si douloureuses que l'estomac se contracte et provoque des vomissements. Le coeur et les vaisseaux sanguins qui irriguent le cerveau réagissent de telle sorte que le sujet s'évanouit.

L'angoisse, les soucis, le dégoût agissent sur les vaisseaux sanguins de l'épiderme et causent 50 % de toutes les maladies de la peau. Par exemple, la névrodermite. Chaque fois que certains sujets sont bouleversés, irrités ou de mauvaise humeur, ils font sortir le sérum sanguin à travers la paroi des vaisseaux qui circulent dans l'épaisseur de leur peau. L'épiderme se gonfle de sérum. Ce sérum est ensuite refoulé vers la surface de la peau, qui se couvre de croûtes, d'écailles et occasionne des démangeaisons.

Les glandes endocrines sont très influencées par nos émotions et peurs soudaines. Sous l'effet d'une frayeur subite, une impulsion nerveuse se transmet aux glandes surrénales qui déversent de l'adrénaline dans le courant sanguin. Quand l'adrénaline arrive au coeur, il se met à battre violemment et, dans certains cas, le sujet ressent une légère défaillance. Quand l'adrénaline atteint le centre respiratoire, le sujet commence à haleter. Quand elle parvient aux vaisseaux sanguins du cerveau, ils se contractent et la personne se sent défaillir.

Toutes les émotions désagréables provoquent des contractions musculaires. Si, à longueur de journée, nous n'entretenons que des pensées extrêmement pénibles, nos muscles seront constamment, intensément contractés. Cela nous fera mal. Fréquemment, ces contractions se manifestent tout d'abord dans les muscles de la nuque. Aussi, très rapidement, elles affectent les muscles de la partie supérieure de l'oesophage, provoquant une sensation de boule dans la gorge et nous gênant quand nous avalons. Si les muscles de la partie inférieure de l'oesophage se contractent, c'est plus grave. Le même genre de spasme musculaire peut se produire au niveau de l'estomac ou sur n'importe quelle section du côlon.

Souvent, certains se demandent d'où viennent leurs terribles migraines. À l'intérieur de la boîte crânienne, quelques vaisseaux sanguins se contractent si fortement, sous l'impulsion du système nerveux, qu'ils provoquent une douleur.

Tels sont les avancés du rapport de la clinique Oschner sur les maladies d'ordre psychosomatique.

Etre malheureux peut causer le cancer

En 1968, l'Académie des sciences de New-York organisait un séminaire sur les aspects psychophysiologiques du cancer. Trente et un des plus éminents psychosomaticiens du monde y prirent part. Ils en sont venus aux conclusions suivantes :

« Le cancer est une réaction directe de l'état de dépression ou de désespoir qui ronge les victimes. Tout stress émotif intense causé par un état dépressif, une peine extrême ou un sentiment d'hostilité peut détruire les défenses naturelles de notre corps contre le cancer. »

Dans un des rapports soumis à ces réunions, le docteur Claus Bahnson, du département de psychiatrie du *Jefferson Medical College*, souligne ceci : « Une relation existe entre les états psychologiques et le cancer. Le découragement extrême, le désespoir et la dépression sont souvent des signes avant-coureurs du cancer. La leucémie et les tumeurs de la lymphe se développent la plupart du temps quand le patient a souffert d'une séparation ou d'une perte qui entraîne des états extrêmes de tristesse, d'anxiété, de découragement. »

Le docteur George F. Solomon, professeur associé de psychiatrie à la *Stanford University School of Medicine*, de Palo Alto, en Californie, à la suite de ses recherches, conclut : « Il y a plusieurs faits indéniables qui nous permettent de relier à l'évolution du cancer : le stress, certains traits et particularités de la personnalité et le manque de défenses psychologiques. Il y a une évidence sans cesse croissante que cette terrible maladie est favorisée par l'ébranlement du système nerveux et par la détresse. Certains événements qui diminuent la résistance à un moment critique permettent aux cellules cancéreuses, qui en temps normal seraient rejetées, de continuer à se développer et à se multiplier. »

Le docteur Gotthard C. Booth, de l'Institut psychiatrique de New York, déclare : « Le cancer représente un état de dépression mentale prenant racine physiquement dans le corps. Comme les tentatives de suicide, le cancer est un des signes précurseurs d'une certaine tendance sociale. Certains types de frustrations engendrent le cancer dans différentes régions du corps. Par exemple, les poumons symbolisent la liberté de mouvement, pour plusieurs. Ainsi, le cancer des poumons attaque les gens qui se sentent emprisonnés dans leur milieu et dont le besoin de changement est frustré. En 1962, le taux le plus élevé de cancer des poumons se trouvait dans le Berlin ouest emmuré.

« Souvent, le cancer se développe dans les parties du corps qui sont impliquées dans les frustrations ou les dépressions des victimes. Le cancer de la prostate se produit fréquemment chez les hommes qui ne peuvent avoir de rapports sexuels complets menant à l'orgasme. Le cancer du sein se développe chez la femme qui se sent frustrée de ne pouvoir ou de n'avoir pu nourrir son bébé au sein.

« L'évidence de l'influence de l'état mental sur le cancer explique les mystérieuses périodes de régression de la maladie. Le patient peut être sur le point de mourir du cancer une semaine, puis en être complètement libéré la semaine suivante. Cette régression spontanée s'explique uniquement par l'état émotif du malade. »

Le docteur Bahnson et sa femme, le docteur Marjorie Bahnson, spécialistes en recherches psychologiques au *Jefferson Medical College*, croient que le stress émotif causant le cancer remonte souvent au début de l'enfance.

« Les nourrissons, durant la période d'allaitement, développent souvent des attitudes d'hostilité et de méfiance qu'ils conservent jusqu'à l'âge adulte, rendant difficiles toutes relations normales avec autrui. Après un choc émotif intense, comme la mort d'un parent, la ruine d'un mariage, une telle personne est plus sujette au cancer qu'une autre qui n'aurait jamais expérimenté cette hostilité et cette méfiance. L'influence dévastatrice, qui remonte à l'enfance et resurgit à l'âge adulte, affecte ses glandes, et toute son énergie vitale en est affaiblie. »

Le docteur Booth ajoute : « Il y a une relation entre le cancer causé par le stress émotif et le fait qu'un enfant est nourri à la bouteille. On nourrit les bébés de cette façon surtout depuis l'après-guerre. Au cours des vingt-cinq dernières années, le cancer chez les enfants est devenu la deuxième cause de mortalité, la première étant les accidents. »

Le docteur Graham Bennett, de la faculté de médecine de l'Université de Londres, déclare : « Afin d'échapper à la souffrance émotive causée par le sentiment d'une culpabilité morbide ou d'avoir à expier des fautes imaginaires, un malade peut choisir inconsciemment la mort, ce qui entraîne chez certains sujets le cancer. »

Deux spécialistes hongrois de la santé, le docteur Arpad Menzei, de l'Institut national de Koranyi, et le docteur Gyorgi Nemeth du Service national hongrois de santé, ont affirmé ce qui suit : « Les cancéreux souffrant d'un complexe de persécution, s'ils deviennent paranoïaques, accusent une nette régression dans le développement de leur cancer. La paranoïa semblerait être une façon du subconscient de canaliser l'excès de stress qui peut aussi être canalisé par le développement de cellules cancéreuses. »

Le docteur Lawrence Le Shan, psychologue de New-York, confirme : « Le stress émotif doit être considéré comme une cause du cancer, sur le même pied que les produits chimiques, le goudron, le carbone et les radiations. Il serait préférable d'aider les gens à prévenir de tels états de désespoir et de stress qui entraînent le cancer. »

Ce que plusieurs de ces chercheurs oublient, c'est que notre mode de vie dénaturé qui ne tient pas compte des principaux facteurs nécessaires à l'épanouissement de la santé, notre manque d'exercice, notre mauvaise alimentation, la cigarette, la pollution de l'air, de l'eau et du sol, jouent certainement un rôle important dans l'augmentation du nombre des victimes du cancer.

Le mode de vie naturiste est certainement l'unique vraie solution au problème du cancer. Il n'en demeure pas moins que le facteur psychologique joue un rôle déterminant dans l'évolution du cancer.

L'arthrite et les ulcères d'estomac

À la suite d'une étude touchant 97 couples mariés, ayant atteint la cinquantaine et vivant ensemble depuis plusieurs années, une équipe de chercheurs de l'Université du Michigan tire les conclusions suivantes : « Maris et femmes peuvent se quereller jusqu'à en être malades. La femme souffre éventuellement d'arthrite et l'homme d'ulcères d'estomac. »

Un de ces chercheurs, le docteur Stanislav Kasl, affirme : « Nous avons établi que lorsque la femme souffre d'arthrite inflammatoire et l'homme d'ulcères d'estomac, c'est qu'il y a hostilité constante entre les deux conjoints. La femme qui s'emporte fréquemment, se fâche, critique tout ce que son mari fait, n'est jamais contente, entretient du ressentiment, souffre dans bien des cas de rhumatisme ou d'arthrite. Les attaques répétées de l'épouse, son ressentiment, son manque de compréhension privent le mari de la sécurité émotive dont il a besoin et causent un stress qui se manifeste par des ulcères d'estomac et dans certains cas par des désordres cardiaques. »

Pour sa part, le docteur Sidney Cobb ajoute : « Tout le problème pivote autour de l'hostilité générale de ce ménage. Tant que cette hostilité mutuelle ne disparaîtra pas, l'arthrite et l'ulcère continueront. »

Pourquoi les maris souffrent-ils d'ulcères d'estomac tandis que leurs femmes sont affectées par l'arthrite ? Pourquoi ne souffrent-ils pas de la même maladie ? Le docteur Stanislav Kasl répond : « Le mari et l'épouse expriment leurs colères, leurs irritations et leurs ressentiments de façons différentes. La manifestation maladive qui en résulte se fait ipso facto différemment. »

Encore une fois, nous constatons l'influence néfaste des émotions négatives sur la santé.

TROIS ENNEMIS À ÉVITER

La colère

Un chien peut en jouant nous mordre sans nous contaminer, mais un chien enragé peut nous empoisonner mortellement. En nous fâchant au point d'être enragés, nous pourrions affecter quelqu'un d'autre en le mordant. Il n'y a pas l'ombre d'un doute que, lorsque nous sommes en colère, des toxines sont déversées dans notre sang et dans tout notre corps. Ce qui affecte nécessairement notre état de santé. Plusieurs personnes sont mortes d'une crise cardiaque au cours d'une violente colère.

L'expérience suivante est assez concluante : le patient, dans une crise de colère, expire dans un tube de verre refroidi qui condense les vapeurs expirées. Un dépôt extrêmement toxique se fait dans le tube. L'expiration en état normal (sans colère), ne laisse pas un tel dépôt toxique. Injecté à des rats en santé, ce poison provoque une mort immédiate.

En effet, la colère entraîne la formation de toxines minant la santé de l'individu qui s'y laisse emporter. Au contraire, la joie, l'amour, la paix intérieure, la confiance, mobilisent les pouvoirs guérisseurs du corps humain.

Le chagrin

Peut-on mourir de chagrin, d'une peine de coeur ? Le docteur Murray Parkes, du Tavistock Institute of Human Relation de Londres, révèle ceci : « La mort à la suite d'une peine de coeur n'est pas uniquement la création des romanciers à l'eau de rose. Appelez cela : chagrin, peine de coeur ou de quelque autre nom qui vous plaise, mes recherches prouvent que la perte d'un être cher peut rendre très malade et même causer la mort. »

Avec l'aide d'un statisticien du gouvernement d'Angleterre, Bernard Benjamin, le docteur Parkes a compilé en 1963 des statistiques, portant sur une période de cinq ans, sur 4 486 veufs de plus de 55 ans et dont les épouses étaient mortes en 1957. On enregistra la date et la cause de la mort de chacun de ces veufs à partir du décès de leur femme. Cette période de cinq ans fut ensuite subdivisée en périodes de 6 mois. Finalement, on compara ces taux de mortalité à ceux des hommes mariés du même âge.

Le docteur Parkes arriva aux conclusions suivantes :

1. « Le chagrin aggrave considérablement les maladies du veuf, particulièrement les maladies cardiaques, et peut conduire à la mort. »
2. « Les veufs de 55 ans et plus, durant les 6 premiers mois de leur veuvage, sont 47 % plus sujets aux crises cardiaques que les hommes dont la femme vit encore. »
3. « 57 % plus de veufs que d'hommes mariés sont morts de thrombose coronaire. »
4. « 41 % plus de veufs sont morts de désordres circulatoires et autres. »

« Il semble, ajoute le docteur Parkes, que les premiers chocs de chagrins jouent un rôle majeur dans la mort de ces veufs. S'il survivent les six premiers mois, ils ont de bonnes chances de se réadapter et de continuer à vivre. » Avoir le coeur brisé peut entraîner la maladie, la mort.

La peur : ennemie publique no 1

Des millions et des millions de gens vivent dans la peur du passé, du présent, de l'avenir, la peur de vieillir, de ne plus travailler, la peur de la guerre, la peur d'être malades, de mourir, etc. Leurs peurs les rendent malades et peuvent même entraîner la mort.

Le docteur John C. Barker, psychiatre attaché au *England's Shelton Hospital* de Shrewsbury, affirme : « Mourir de peur n'arrive pas seulement en Afrique ou dans des pays lointains dits non civilisés puisque des milliers de gens qui nous entourent en meurent chaque année. Un état de terreur peut paralyser le cerveau et le système nerveux. Le choc émotif peut causer la mort, tout particulièrement si le sujet souffre d'une autre maladie. Celui-ci accepte avec fatalisme l'idée qu'il va mourir et, en fait, il meurt. »

L'expérience du docteur Barker s'est échelonnée sur une période de 16 ans. Son premier cas, il ne l'oubliera jamais. Il pratiquait à l'époque dans l'ouest de l'Angleterre.

Un ouvrier de la région fut amené d'urgence à l'hôpital, dit-il. Cet homme répétait sans cesse : « Je vais mourir, je vais mourir ! » Nous n'avons pu rien trouver d'anormal dans son état physique. Nous avons bien essayé de le questionner sur la raison qui le motivait à croire qu'il mourrait. Il répondit : « Je vais mourir, je vais mourir ! » Il était de plus en plus à court de souffle. Personne ne pouvait le raisonner. Il était évidemment écrasé par la peur. Tout à coup, il arrêta de crier et mourut subitement. Une autopsie nous révéla que cet homme était en parfaite santé.

« Voici ce qui se passa quelques années plus tard à l'hôpital de Londres : afin de diagnostiquer avec plus d'exactitude un patient, je lui demandai si durant ses attaques cardiaques il avait l'impression qu'il était sur le point de mourir. Je n'aurais jamais dû prononcer le mot *mourir*. À peine avais-je fermé la bouche que notre homme qui, jusqu'à présent, semblait rationnel et contrôlait toutes ses facultés, pâlit, me regarda fixement, prononça le mot « mourir » l'air terrifié. Il s'effondra ; en moins d'une minute, il était mort. »

Ces deux expériences motivèrent le docteur Barker à continuer ses recherches, à compiler des statistiques fournies par ses confrères sur des cas semblables. Il en conclut que des gens deviennent malades et meurent même quotidiennement, terrassés par la peur.

Le docteur Steward Wolf, qui dirige l'*Oklahoma Medical Foundation*, abonde dans le même sens : « Il est définitivement prouvé que nombre de gens meurent terrassés par la peur, même si souvent la mort est attribuée à d'autres causes. Par exemple, une personne se fait mordre par un serpent. Dans bien des cas, ce n'est pas le venin qui cause la mort, mais la peur entretenue. Nous avons compilé des milliers et des milliers de cas qui confirment et prouvent nos avancés. »

Ainsi, nous pouvons comprendre l'importance d'une éducation positive des enfants. Les mères nerveuses désirant protéger leur marmaille du moindre danger, du moindre courant d'air, des pieds mouillés, etc., déversent lentement en eux un poison mortel inexorable : la peur.

Nous avons été conditionnés négativement non seulement par nos parents, mais aussi par notre milieu, par nos écoles, nos universités et souvent même par notre religion. Élevons nos enfants de telle façon qu'ils ignorent la peur. Enseignons-leur la prudence, mais ne leur inculquons pas la peur. Enseignons-leur plutôt le courage, l'endurance, la confiance en eux, et surtout à découvrir ce trésor, ce potentiel extraordinaire de santé, de beauté, de bonté, de sagesse, qui se trouve en eux. Pouvons-nous leur léguer un plus noble héritage ?

QUATRIÈME PARTIE
TECHNIQUES PSYCHOSOMATIQUES NATURELLES

L'APPROCHE HOLISTIQUE

L'importance et le rôle de l'approche holistique sont uniques. On ne fait pas violence à l'organisme. On désintoxique, on purifie le corps et l'esprit. On corrige les mauvaises habitudes physiques, mentales et émotives en conditionnant le patient à vivre selon les facteurs naturels de santé. Ainsi, l'équilibre est rétabli et maintenu.

Nous voyons que l'approche holistique est globale puisqu'elle s'occupe de l'individu entier, à la fois du mental et du corps. Il ne faut jamais séparer ces deux éléments, puisque le mental influence le corps et vice versa. L'être humain n'est pas uniquement un assemblage de parties solidaires, mais aussi un tout indivisible. L'approche globale vise à rééquilibrer totalement la personne tant sur le plan physique qu'émotif, mental, spirituel et social. Il ne s'agit pas seulement de réformer l'alimentation des gens, si important et fondamental que ce soit, mais de corriger aussi l'alimentation mentale et émotive des patients, de les éduquer, de les conditionner à n'entretenir que des pensées, des émotions de santé, de sérénité, de joie, de confiance et de spontanéité.

L'approche holistique est basée sur une conception globale et entièrement différente de la médecine conventionnelle (allopathique).

Un de ses grands principes de base est le *primum non nocere* d'Hyppocrate : « D'abord ne pas nuire ».

Voici un tableau qui illustre le parallèle entre les approches conventionnelle et holistique :

APPROCHE CONVENTIONNELLE	APPROCHE HOLISTIQUE
1. Le patient est subordonné au praticien.	1. Graduellement, le patient doit acquérir son autonomie et prendre la responsabilité de sa santé. Le praticien est plutôt un associé, un collaborateur, un catalyseur.
2. Les maladies et les douleurs sont destructives.	2. Les maladies et les douleurs sont considérées très utiles: signaux très précieux qui indiquent les conflits internes. Ils peuvent être le cheminement vers la santé et constituent une donnée de base pour en apprécier l'évolution.
3. Il s'agit d'éliminer les maladies.	3. Recherche plutôt la santé, l'harmonie du corps, du psychisme et de l'âme.
4. Accentue les résultats immédiats, apparents, l'efficacité.	4. Accentue les résultats permanents, sans séquelles secondaires, les valeurs humaines.
5. Considérations surtout symptômatiques.	5. Recherche plutôt les causes profondes et véritables.
6. Approche matérialiste de l'être humain et du corps.	6. Approche holistique, globale, dynamique, énergétique et interrelationnelle de l'être humain et du corps avec d'autres éléments ambiants, énergétiques, psychiques, spirituels, sociaux...
7. Les principaux outils sont les médicaments et/ou la chirurgie.	7. Les principaux outils sont principalement l'application des facteurs naturels de santé avec l'aide de techniques douces, psychologiques et physiques: alimentation, exercices, repos, relaxation, air, soleil, propreté, façon de respirer...
8. Les affections sont considérées comme entités.	8. Les affections ne sont pas considérées comme entités mais plutôt comme des processus, des parties d'un tout.
9. On se fie surtout aux renseignements quantitatifs (examens).	9. Vise surtout les renseignements qualitatifs (ce que le patient ressent). L'aspect quantitatif est le complément de l'aspect qualitatif.
10. Praticien neutre et sans émotions.	10. Praticien emphatique, impliqué affectivement.
11. Pour la plupart des praticiens: les pensées, les sentiments et les émotions sont des facteurs secondaires dans les maladies chroniques et organiques.	11. Les pensées et les émotions sont des facteurs primordiaux ou au moins aussi importants que tous les autres facteurs physiques.
12. La prévention est surtout centrée sur l'extérieur (vaccin, fluor dans l'eau pour éviter la carie).	12. La prévention part du patient, du milieu intérieur, tant physique que psychique et spirituel, sans pour autant négliger les facteurs extérieurs. Le terrain intérieur est plus important que le microbe. Il s'agit de renforcer et d'harmoniser ce terrain. Le reste vient par surcroît.

Arrêtons de dramatiser et de nous plaindre

— *Je ne peux plus endurer ça !...*
— *C'est impossible !...*
— *Oh ! que ça fait mal !...*
— *Je vais être malade !...*
— *Je ne veux plus entendre parler de lui !...*
— *Que mon dos me fait mal !...*
— *Je lui pardonne, mais...*
— *Il me tape sur les nerfs !...*
— *La vie n'a pas de sens !...*
— *Je suis mort de fatigue !...*
— *Si je ne me retenais pas...*
— *Que je le hais donc !...*
— *Ça me tracasse !...*
— *Je n'en peux plus !...*
— *Je pense que j'en mourrai !...*
— *Je ne sais plus que faire !...*
— *C'est la pagaille !...*
— *On n'a plus les femmes (les hommes) qu'on avait !...*
— *J'ai le goût de me tuer !...*
— *Je lui mettrais mon poing sur la gueule !...*
— *Je suis tout mélangé !...*
— *C'est un vrai méli-mélo !...*
— *J'abandonne !...*

Ces expressions ne nous sont-elles pas plus ou moins familières ? Nous les prononçons ou les entendons tous les jours. Si nous voulons rester en parfaite santé, nous devons les éliminer de notre vocabulaire.

Quel est notre présent état de santé ? Possédons-nous la santé que nous désirons réellement ? Sommes-nous à la merci des gens et des événements ? Est-ce que nos activités physiques, mentales, émotives, spirituelles, sociales, améliorent ou détruisent notre santé ? Répondons honnêtement. Abordons le tout comme un jeu, avec un certain sens de l'humour.

Faisons notre propre liste d'expressions négatives que nous employons tous les jours. Employons-nous à substituer systématiquement les expressions opposées, positives. Franchissons une étape à la fois, sans nous énerver. Nous serons surpris des résultats.

Voici une liste des attitudes négatives courantes qui nous rendent malades si nous les gardons constamment :

LES ATTITUDES NÉGATIVES À REMPLACER PAR DES ATTITUDES POSITIVES

NÉGATIF	POSITIF
Indécision	Détermination
Découragement	Confiance
Inquiétude	Sérénité
Désappointement	Compréhension
Frustration	Expression
Insécurité	Sécurité
Égoïsme	Dévouement
Ignorance	Connaissance
Cupidité	Générosité
Peine	Joie
Nervosité	Calme
Culpabilité	Pardon
Anxiété	Calme
Confusion	Ordre
Résistance	Coopération
Dénigrement	Appréciation
Agitation	Tranquillité
Ressentiment	Gratitude
Limitation	Expansion
Peur	Assurance, confiance

Cette liste pourrait être beaucoup plus longue. Dans la mesure où nous substituons une attitude positive à une attitude négative, tout notre corps en bénéficie.

DÉVELOPPONS NOTRE MOTIVATION, NOTRE CONFIANCE

La motivation

Voici une vieille légende grecque très significative : Socrate demande à son jeune disciple de le suivre. Le jeune homme obéit à son maître et se rend jusqu'à la rivière avec lui. L'illustre philosophe plonge la tête de son disciple dans l'eau, jusqu'à ce que le garçon perde *presque* conscience. Alors, Socrate relâche la tête de son élève et le laisse enfin respirer hors de l'eau. Quand le jeune homme retrouve son calme, le maître lui demande : « Qu'est-ce que tu désirais le plus quand tu étais sous l'eau ? » « Respirer, respirer ! » répond le disciple. Socrate répliqua : « Quand tu désireras la sagesse autant que tu désirais respirer, eh ! bien tu seras bien près de l'obtenir. »

Désirer ardemment la santé et être prêt à prendre tous les moyens pour y arriver est déjà 51 % de la guérison. Nous serons ainsi motivés à suivre les lois de la santé, à contrôler nos pensées, notre imagination, nos émotions, nos paroles, notre alimentation.

La confiance

L'approche holistique enseigne que l'être humain possède le pouvoir d'auto-guérison. Nous ne pourrons recouvrer et conserver notre santé que dans la mesure où nous croirons, où nous aurons foi en cette possibilité.

NOUS POUVONS :
1. Vivre à la campagne, à la montagne ou près de la mer où l'air est plus sain ;
2. Manger des fruits et des légumes cultivés organiquement, bien combinés ;
3. Boire de la plus pure eau de source ;
4. Faire quotidiennement beaucoup d'exercice ;
5. Nous baigner régulièrement dans de l'eau salée.

Tous ces facteurs de santé ne pourront être pleinement efficaces si nous entretenons constamment des pensées, des émotions, des images négatives de haine, de rancune, de vengeance, de jalousie, de critique, de découragement.

La foi est à la base de toute guérison. Certains, par exemple, croient que la nourriture est l'élément fondamental de la santé. *Leur foi en ce principe*, autant que leur changement d'alimentation, produit des résultats positifs.

Voilà pourquoi, lorsqu'une personne vient au naturisme, il importe de motiver sa confiance en lui parlant de guérisons de personnes souffrant des mêmes maux qu'elle.

DE PLUS, POUR INTENSIFIER SA FOI, ENCOURAGEONS-LA À :

1. Lire des récits, des témoignages de guérisons par l'approche holistique.
2. Lire des livres, des revues expliquant les lois de la santé, les lois de la vie.
3. Assister à des conférences et écouter des enregistrements traitant de l'aspect global de l'être humain.
4. Participer à des ateliers centrés sur l'épanouissement intégral de l'être humain.
5. Adhérer à une association où l'on traite de l'aspect global de l'être humain, y devenir actif, s'y faire des amis.

Le but de toutes ces activités, entre autres, est d'éduquer et de renforcer à son plus haut degré la confiance du néophyte. Ainsi peut-il maintenir beaucoup plus facilement dans ses pensées l'image de la santé et des facteurs naturels. Le subconscient réceptif accepte le stimulus « foi » et automatiquement une régénérescence se produit, soutenue par l'acquisition de nouvelles habitudes positives de santé.

Le moment le plus important de notre vie

Quel est le moment le plus important de notre vie ?

Il y a quelques années, nous posions cette question à une centaine de jeunes gens et de jeunes filles. Voici quelques-unes des réponses que nous avons reçues :

— *L'heure de la mort...*

— *La naissance...*

— *La journée de mon mariage...*

— *Ma graduation...*

— *La rencontre de mon premier amour...*

Toutes ces réponses sont partiellement vraies. Cependant, le moment le plus important de notre vie est sans contredit « l'instant présent ».

L'homme mesure, divise le temps : en secondes, en minutes, en heures, en journées, en mois, en années, en siècles. Mais le seul moment que nous pouvons expérimenter pleinement c'est l'instant présent. Aujourd'hui est « le fils d'hier et le père de demain ». En ce moment nous façonnons notre avenir. Nous serons heureux ou malheureux, en santé ou malades, selon ce que nous pensons, imaginons, ressentons, mangeons et observons des lois de la nature, aujourd'hui, ici et maintenant. Chaque journée bien vécue fera « d'hier un rêve de bonheur, de santé, et de demain l'espoir d'une journée meilleure ». Pour cela, tirons parti au maximum de l'instant présent, quoi que nous fassions, puisque c'est l'unique moment que nous possédions vraiment. Dans une seconde, nous ne l'aurons plus.

Celui qui ne pense qu'à ses problèmes, et qu'à ses expériences passées, gaspille son présent, sa vie. Celui qui ne pense qu'à son avenir ne profite pas du moment présent. Seul celui qui vit pleinement dans le présent a appris à maîtriser les trois : le passé, le présent et l'avenir. « Maintenant » — moment unique, inépuisable qui se déploie siècle après siècle, tout en étant toujours « maintenant ».

Nous pouvons commencer chaque journée comme une page blanche : ni bonne, ni mauvaise. C'est nous qui en écrivons le texte à chaque instant. C'est notre choix. Si tout ce qui a passé et tout ce qui passera sur un pont passait au même moment, qu'arriverait-il ? Le pont s'effondrerait. Il en va de même de notre santé. Si nous pensons continuellement à nos erreurs passées, et essayons constamment de résoudre nos problèmes futurs, réels ou hypothétiques, notre équilibre psychique s'écroulera avec notre santé.

Un pas à la fois, en commençant maintenant. « Petit train va loin ! » Ne nous en faisons pas.

Nous avons tous une leçon à prendre des Alcooliques Anonymes. Vivons de notre mieux seulement pour aujourd'hui. Cette attitude doit être adoptée par toute personne qui désire changer ses habitudes : abandon du café, des boissons gazeuses, du sucre blanc, de la farine blanchie et de leurs dérivés, de la cigarette, de l'alcool, etc. On doit maintenir également cette attitude lorsqu'il s'agit d'adopter toute nouvelle habitude alimentaire et de santé.

Comme la période de transition est toujours plus ou moins difficile, plusieurs se découragent. En vivant dans le présent, une journée à la fois, l'effort fourni semble allégé de beaucoup. Qu'est-ce qu'on ne peut pas faire pour une journée, pour une heure seulement ?

Nous devons vivre dans le présent. Certains aimeraient accomplir de grandes choses dans l'avenir. Il importe surtout de réaliser *aujourd'hui* les choses les plus ordinaires de notre vie comme manger, boire, penser, réagir, vivre de façon extraordinaire.

Il y a près de sept ans, un de mes amis, agent de réclamation d'assurance, ouvrit son propre bureau. Très ambitieux et travailleur, il voulait grossir son volume d'affaires de plus en plus rapidement. Pour y arriver, il travaillait sept jours par semaine, le matin, l'après-midi et le soir, quelquefois même une partie de la nuit. Il ne trouvait plus le temps de jouer avec ses enfants, de sortir avec sa femme, de se détendre quelques heures, de pratiquer son sport préféré, la balle au mur. Pendant cinq ans, il suivit ce régime de vie, ne prenant même pas de vacances. Il se répétait constamment : « Quand je serai réellement bien établi, je commencerai à vivre. Je jouerai avec mes enfants. Je prendrai des vacances. J'aurai des loisirs. » Il ne put atteindre ce but.

Il souffrit d'ulcères d'estomac, d'insomnie et d'hypertension. Faut-il en être surpris, si un jour il subit une crise cardiaque grave qui l'immobilisa complètement pendant plusieurs semaines. Alors, il commença à réfléchir : « Un jour, je commencerai à vivre. Je ferai ceci, cela. » Ces paroles lui revenaient constamment à la mémoire. Sur mes conseils et après mûre réflexion, il réalisa qu'il n'y avait qu'un seul moment pour commencer à vivre pleinement et que c'était maintenant, même cloué à son lit d'hôpital. Sa convalesence fut longue. Mais, grâce à cette attaque cardiaque, il apprit à apprécier pleinement chaque minute de sa vie, à prendre le temps de mettre en pratique les lois de la santé.

Chaque moment est unique. Il n'y en a pas deux semblables. Ne regardons pas d'un oeil le passé et de l'autre l'avenir, au point de ne pas voir les obstacles présents devant nous. Le futur ne vient jamais, puisque l'unique moment que nous possédons, c'est toujours le présent. Bien vivre aujourd'hui est la meilleure préparation pour demain. Chaque journée est une petite vie, et toute notre vie n'est qu'une courte journée répétée. Ainsi, vivons chaque jour comme si c'était le dernier.

Rien que pour aujourd'hui... je mangerai uniquement des aliments naturels. Je ferai de l'exercice. Je me détendrai, me reposerai. Je suivrai avec joie, avec enthousiasme toutes les lois de la santé.

SI...

— *j'étais plus chanceux...*
— *j'avais plus d'argent...*
— *je ne vivais pas au Canada...*
— *mes parents m'avaient élevé autrement...*
— *je pouvais refaire ma vie...*
— *je pouvais me faire opérer...*
— *je n'étais pas marié...*
— *je n'avais pas plusieurs enfants...*
— *mon conjoint me comprenait...*

— mes parents avaient été plus riches...
— j'étais plus instruit...
— je pouvais changer de travail...
— je paraissais mieux...
— j'avais des « connections »...
— je n'étais pas si vieux...
— je n'étais pas si malade...
— je gagnais à la loterie...
— je pouvais...

Qu'est-ce qu'on ne ferait pas si... ? Avec si, on ne va nulle part. Le SI, la plupart du temps, n'est qu'une excuse pour ne pas faire ce que l'on peut.

Quel que soit notre état présent, nous pouvons l'améliorer en faisant le premier pas, immédiatement, vers notre but, même si les circonstances semblent être des plus défavorables. Débutons maintenant.

Nous pouvons assister à toutes les réunions sur l'approche globale, lire tous les livres expliquant toutes les lois de la santé, si nous ne mettons pas en pratique ces principes, ici et maintenant, nous n'en profiterons jamais. Tout individu peut changer, transformer complètement son état de santé en quelques jours, en quelques semaines, en quelques mois, selon son cas, selon sa foi, selon sa motivation, pourvu qu'il commence à faire le premier pas immédiatement.

Beaucoup de gens désirent ardemment être en santé. Cependant, ils ne peuvent se décider à passer à l'action et à mettre en pratique la plupart des conseils de leur consultant en approche holistique. Après avoir entendu ce qu'il vous faut faire pour recouvrer votre santé et la conserver, écrivez. Écrire quoi ? Ce que vous désirez, ce que vous attendez de votre démarche. Écrivez ce que vous devez surmonter, ce dont il faut vous débarrasser.

Déjà, vous posez une action constructive vers votre but, vers ce que vous souhaitez de tout votre coeur : la santé. Ne vous contentez pas de rêver, d'écouter passivement les conseils, les suggestions et les recommandations de votre consultant. Posez un premier geste, immédiatement. Déterminez vous-même votre but et écrivez-le. Le simple fait d'écrire ce que vous visez, de l'extérioriser sur du papier dans vos propres mots, de lire le tout à haute voix, impressionne considérablement votre subconscient. Si simple soit-elle, il faut essayer cette méthode pour en apprécier l'efficacité.

L'étape suivante consiste à subdiviser le ou les buts généraux de santé en petites périodes de courte durée, faciles à remplir. Il s'agit d'écrire ce qu'immédiatement vous pouvez faire pour vous approcher de votre but.

Le succès de cette technique provient du fait que, en écrivant soi-même ce qu'on désire le plus et les moyens qu'on veut prendre pour y arriver, on « vend » ses idées à son subconscient, qui s'en imprègne. Une fois le subconscient impressionné, le plus gros de la bataille est gagné. Ne croyons pas cette méthode insignifiante. Essayons-la. Ainsi, nous nous convaincrons de son efficacité malgré son extrême simplicité.

Lisez tous les jours le programme que vous vous êtes fixé. Faites ceci le matin au réveil, le soir au coucher et au moins trois fois durant la journée : le matin, l'après-midi et au début de la soirée.

Voici un exemple de l'application de cette méthode. Il y a quelque temps, un ami m'envoya une dame souffrant de fréquentes crises de foie, de migraines, d'indispositions. Cette dernière me raconta ses problèmes. Je lui expliquai la cause de ses problèmes, les principaux facteurs de santé qu'elle négligeait et les corrections qu'elle devait apporter à ses habitudes, à son alimentation. Entre autres, elle se gavait de produits laitiers de toutes variétés : fromages, beurre, lait, yogourt, crème sure, à tous les repas. Je lui citai maints exemples de gens qui souffraient du foie, même des cas plus graves que le sien, qui ont transformé leur état de santé.

Elle élimina tous les produits laitiers non écrémés et toutes viandes grasses, cuites dans l'huile ou dans le beurre. Elle réforma son alimentation et mit en pratique les autres facteurs de santé.

Elle décida ce soir-là, dans mon bureau, ce qu'elle voulait par-dessus tout : la santé. Sur mes conseils, elle écrivit ce qu'elle pouvait faire immédiatement pour atteindre son but. Je lui montrai aussi quelques exercices de maîtrise des émotions et des pensées. Quand elle quitta le bureau, elle était certaine de réussir, d'atteindre son but : se désintoxiquer, éliminer ses crises de foie, ses migraines, ses indispositions, se développer une santé rayonnante. Elle lut son plan plusieurs fois chaque jour. Après quelques visites, elle atteignit son but.

Pascal aimait souligner que nous ne vivons jamais pleinement, que nous espérons toujours vivre dans l'avenir. « Il est inévitable, affirme-t-il, que nous ne soyons jamais heureux ».

LA TRILOGIE : LA JOIE, L'ENTHOUSIASME, LE BONHEUR

À l'*Unity School* de Lee's Summit, dans le Missouri, on célèbre Noël deux fois par année : le 25 décembre comme tout le monde, et le 3 août en plein été. Pourquoi ? Afin de nous rappeler qu'il nous faut conserver tout le long de l'année cet esprit de Noël. Quel est cet esprit de Noël ? Une attitude de joie, d'enthousiasme, de bonheur ! Nous devrions célébrer Noël quotidiennement dans notre coeur.

« Un coeur joyeux est le meilleur remède, mais un esprit abattu dessèche les os », disait Salomon. Est-ce que la joie, le bonheur, l'enthousiasme sont un état naturel chez nous, ou dépendent-ils des circonstances extérieures, de nos sautes d'humeur ?

Certains croient que nous n'avons pas le droit d'être heureux, d'être joyeux quand il y a tant de guerres, de violence, de souffrance, de maladies, de problèmes qui nous entourent. Leur mauvaise humeur, leur pessimisme n'aident certainement pas à résoudre ces difficultés: au contraire, ils les compliquent.

Ne serait-ce pas merveilleux, si le genre humain rejetait tout pessimisme, toute tristesse, toute dépression, toute inhibition? Si une telle réalisation était possible, où devrait-elle commencer? Comment? Avec qui? Avec nous, ici et maintenant!

Il est facile d'être heureux, d'être joyeux quand tout va pour le mieux. C'est plutôt quand tout semble vouloir contrecarrer nos plans, nos désirs qu'il faut maintenir notre enthousiasme, notre joie intérieure, notre confiance malgré les mauvais augures. Apprenons, quelles que soient les circonstances, à conserver notre foi et notre joie intérieure.

Avez-vous remarqué qu'au printemps les gens semblent être plus joyeux, plus heureux, plus enthousiastes? Recréons le printemps tous les jours, et notre vie en sera renouvelée. Certaines personnes ajouteront: «On ne devient pas joyeux, enthousiastes, heureux, en décidant tout simplement de l'être.» Au contraire, voilà l'erreur, le bonheur n'est qu'un choix: mental, émotif et spirituel. Choisissons-le. Agissons *comme si* nous étions heureux. Pensons *comme si* nous étions heureux. Réagissons *comme si* nous étions heureux. Enthousiasmons-nous *comme si* nous étions heureux. Vivons *comme si* nous étions heureux et à notre grande surprise, nous serons heureux.

Gardons cette attitude et nous développerons ainsi l'habitude de penser, de ressentir, de réagir, de vivre avec joie, avec enthousiasme, et partant nous aurons acquis l'habitude d'être heureux. Toute notre vie n'est qu'habitudes, même notre bonheur.

La thérapie de la joie, de l'enthousiasme, du bonheur, joue un rôle primordial dans l'approche holistique

Le psychologue russe K. Kekcheyev a constaté qu'une personne qui entretient des pensées et des émotions de joie et d'enthousiasme, voit, goûte, sent, entend mieux, et la différence est très marquée. Un psychosomaticien affirme que la vue s'améliore immédiatement quand l'individu est joyeux ou qu'il s'imagine des scènes plaisantes. On a trouvé que l'enthousiasme améliore considérablement la mémoire. Notre estomac, notre foie, notre coeur, nos organes internes, tout notre corps fonctionne beaucoup mieux quand nous sommes heureux.

Le docteur Schindler, de l'Université Yale, croit que le malheur, la tristesse, le pessimisme sont les causes de plusieurs maladies et qu'une cure de bonheur se révèle souvent l'unique solution.

Dans la croyance populaire, on semble avoir mis la charrue avant les boeufs. On croit que, pour être heureux, il faut d'abord et avant tout avoir réussi dans la vie, être riche et en santé. Ne serait-il pas plus juste de dire : « Soyons joyeux, enthousiastes, heureux, ayons confiance maintenant, et nous serons beaucoup plus près de réussir et d'être en santé ? »

Quand j'étais collégien, durant mes vacances d'été, je passai quelques semaines dans les cantons de l'Est chez un fermier. Ce qui me frappait chez lui, c'était qu'il était toujours de bonne humeur, toujours joyeux, souriant, et blaguait constamment. Je lui demandai le secret, la recette de son bonheur. Il me répondit sans ambages : « C'est une habitude que j'ai d'être heureux. Chaque matin, quand je me lève, qu'il pleuve ou qu'il fasse beau, la première chose à laquelle je pense, c'est qu'aujourd'hui je vais être gai, joyeux, heureux. Quoi qu'il arrive, aujourd'hui ce sera la plus belle journée de ma vie. Le soir, avant de me coucher, je remercie le bon Dieu pour tout et puis je ne m'en fais pas. À l'avance, je le remercie pour la journée de demain. Parce que, demain, je sais que je serai encore plus heureux, quoi qu'il arrive. »

Le bonheur est une vertu, un état d'esprit, un état d'âme, une habitude.

Il y a un point important à se rappeler. Nous devons sincèrement désirer être heureux. Certains préfèrent être malades plutôt qu'être en santé, être malheureux plutôt qu'être heureux. Entre autres, cette dame qui souffrait d'arthrite. Elle ne pouvait plus sortir de chez elle à cause de sa maladie. Elle se plaignait d'un tel état de choses. Parce que ses enfants s'occupaient d'elle, l'entouraient d'attention, de petits soins comme jamais auparavant, cette femme en fait ne désirait plus réellement être en santé.

Je lui suggérai un mode de vie naturel et de changer son alimentation, ses pensées, son imagination, ses émotions, ses habitudes malsaines. Elle ne pouvait pas entendre parler de cela.

Certains choisissent d'être malheureux en se répétant constamment :
— *Aujourd'hui, comme d'habitude, tout va mal...*
— *Je ne réussirai pas...*
— *Tout le monde est contre moi...*
— *Ça va de plus en plus mal...*
— *Je n'ai jamais de chance...*

Ils pourraient plutôt choisir d'être heureux en se répétant le contraire.

J'ai le privilège de compter parmi mes amis madame May Duncan qui, à l'âge de 50 ans, après avoir élevé ses enfants, est retournée aux études pour devenir une brillante métaphysicienne. Aujourd'hui, octogénaire, elle continue encore à se perfectionner, à étudier, à voyager aux quatre coins du monde, à enseigner, à servir avec joie et enthousiasme. C'est une des personnes les plus heureuses que j'aie rencontrées. À cinquante ans, elle a fait un choix. Lequel ? Celui d'être heureuse, quoi qu'il advienne. Et elle a réussi. Quel est votre choix ?

Développons notre sens de l'humour. Apprenons à rire. Pourquoi les comédiens sont-ils, parmi les artistes, les mieux payés ? Parce que le rire est une nécessité de la vie, comme le boire et le manger. Apprenons à rire de nos faiblesses, de nos erreurs et de nos problèmes, tout en essayant, bien entendu, de les surmonter. Voyons le côté amusant de la vie et des choses. Faisons sourire notre coeur, nos lèvres suivront et la santé aussi.

Le bonheur n'est rien d'autre qu'une habitude conditionnée par notre imagination, nos pensées, nos émotions présentes. Si nous voulons être heureux, il nous faut être heureux immédiatement. Non pas être heureux à cause de...

La vie est une série de problèmes ; dès qu'un se résout, un autre se présente. L'optimiste, l'homme heureux les considère comme des occasions de se développer, d'apprendre, de devenir plus sage. Il s'en sert comme d'un marchepied vers la réussite. Pour lui, toute adversité porte en elle la semence d'une plus grande possibilité. Le pessimiste, l'éternel malheureux, se laisse écraser par les obstacles. Il est vaincu d'avance avant même de les affronter, seulement à y penser. Le principal problème du pessimiste, de tout être malheureux, c'est lui-même.

Le bonheur et la santé ne sont pas l'effet de la chance. Ce sont tout d'abord un choix, ensuite un mode de penser, de réagir, de manger, de vivre.

Un esprit jeune

Nous sommes aussi jeunes que nous le pensons, que nous le croyons, que nous le ressentons, que nous l'imaginons. L'arrière-grand-père maternel d'un de mes amis aimait beaucoup patiner. À l'âge de 87 ans, il patinait encore. Cependant, depuis l'âge de 40 ans, ses médecins le lui défendaient. Selon eux, il souffrait d'insuffisance cardiaque. Cet aïeul aimait répéter : « Je suis en parfaite santé, regardez-moi. Si c'est vrai que je souffre d'insuffisance cardiaque, eux souffrent encore plus d'insuffisance mentale. » Il a enterré tous ces médecins, grâce à son attitude jeune, optimiste, son sens de l'humour, sa modération en tout et sa vie ordonnée. Il est mort à 92 ans dans son sommeil.

Il y a des vieillards de 20 ans et des jeunes de 90 ans. La patience, l'amabilité, l'amour, la compassion, la bonne volonté, la joie de vivre, la confiance sont des qualités qui ne vieillissent jamais. Cultivons-les, exprimons-les, et nous resterons jeunes de corps et d'esprit, quel que soit notre âge. Ayons un idéal. Maintenons toujours un intérêt soutenu en quelque chose, en une cause quelconque. Si nous perdons le goût de vivre, nous vieillirons et mourrons prématurément. Faut-il se surprendre de trouver de nombreux octogénaires parmi les hommes les plus célèbres ? Parmi les artistes, nous trouvons Pablo Casals, Maurice Chevalier, Picasso, etc.

Nous pouvons en trouver plusieurs autres parmi les plus grands philosophes, les plus grands écrivains, les plus grands scientifiques, qui ont toujours pris un plaisir très vif dans leurs activités.

Un adulte sain, comme un enfant sain, s'intéresse à tout ce qui l'entoure. Il continue à apprendre, quel que soit son âge. Aimer son travail, aimer la vie, c'est un indice d'équilibre et de santé.

LE YOGA

Le yoga peut se définir comme un système d'équilibre, de réalisation, de culture humaine totale : physique, mentale et spirituelle. C'est donc une science totale de la vie humaine. Ici, nous ne présenterons que les principaux aspects qui s'intègrent facilement dans l'approche holistique.

Dans notre vie moderne, tout est sacrifié à la vitesse. Par le yoga, nous rétablissons l'équilibre perdu, en apprenant à respirer, à nous détendre, à nous étirer, à nous concentrer. Il s'agit ici encore d'acquérir de nouvelles habitudes. Un effort quotidien et méthodique d'un quart d'heure à une demi-heure produit chez tous de merveilleux résultats de santé, de bonheur et de sérénité intérieure.

D'après le hatha-yoga, le mécanisme de la vie dépend principalement de deux courants de force, l'un positif (ha), l'autre négatif (tha), comme les deux pôles d'un courant électrique. L'équilibre de ces deux courants assure le fonctionnement parfait du mécanisme vital. Un des buts du hatha-yoga est de maintenir et, si tel est le cas, de rétablir l'équilibre entre ces deux courants dans toutes les parties du corps. Cette notion d'équilibre est à la base de tout le système hatha-yogique, et s'applique tant au physique qu'au mental, puisque les deux s'influencent mutuellement, continuellement. C'est pourquoi le yoga se donne pour but d'unifier, d'équilibrer parfaitement notre vie physique, mentale et spirituelle. Ainsi considéré, le yoga est une des techniques psychosomatiques naturelles des plus efficaces.

La respiration

Sans la respiration, il n'y a pas de vie. L'être humain peut vivre plusieurs semaines sans manger, plusieurs jours sans boire, mais seulement quelques minutes sans respirer. De toutes nos fonctions biologiques, la respiration est certainement la plus importante, mais combien négligée.

Il existe un lien entre notre respiration et nos états mentaux et émotifs. Constatons que notre respiration est influencée par notre état nerveux et subit le contrecoup de la moindre émotion. La maîtriser volontairement est un très bon moyen de dominer notre affectivité. Certains yogis croient qu'il n'y a pas de science plus utile que celle de la respiration, puisque la respiration, c'est la vie.

L'humain moderne doit réapprendre à respirer, puisqu'il ne le fait plus sainement et plus assez profondément. Le peu d'air qu'il respire est pollué.

Tout d'abord, il faut s'habituer à toujours respirer par le nez et jamais par la bouche. Avis aux sportifs, aux nageurs, à ceux qui pratiquent la course à pied ! La pratique de leur sport entraîne très souvent de mauvaises habitudes respiratoires dans la vie courante. La respiration par la bouche, tant chez les enfants que chez les adultes, est trop fréquente de nos jours. Nous devrions nous faire un devoir de respirer profondément *par le nez*. À l'encontre de la bouche, le nez filtre l'air froid, les impuretés, grâce à toutes sortes de dispositifs physiologiques naturels. La respiration par la bouche ne devrait se pratiquer qu'en cas d'extrême nécessité, car elle entraîne de nombreux troubles respiratoires et diminue la résistance vitale de l'organisme.

Les quatre façons de respirer

1. La respiration claviculaire ou en surface

C'est la méthode qu'emploient la plupart des femmes. Elle demande plus d'énergie et donne moins de résultats que toute autre. On lève les épaules et on respire uniquement avec la partie supérieure des poumons. Ainsi, seulement une petite quantité d'oxygène atteint les poumons.

La raison qui force tant de femmes à respirer de cette façon n'est pas une différence anatomique mais plutôt le port de soutiens-gorge, de corsets, de gaines, de sous-vêtements qui sont de véritables carcans. Plusieurs hommes respirent aussi de cette façon très superficielle.

2. La respiration intercostale ou médiane

Elle est préférable à la première. C'est surtout la partie médiane des poumons qui se remplit d'air. La plupart des hommes respirent de cette façon. Cependant, la respiration profonde est si nécessaire que la nature nous contraint tous à la pratiquer malgré nous, de temps en temps, en nous faisant bâiller ou soupirer profondément. Ainsi, nous sommes obligés de respirer plus largement.

3. La respiration abdominale (du diaphragme)

Elle est considérée en général comme la meilleure. Les chanteurs classiques, les orateurs prônent cette méthode. Ainsi, les parties inférieures et médianes des poumons se remplissent d'air.

4. La respiration totale ou yogique

Elle est une synthèse des trois méthodes précédentes. Elle peut se pratiquer ainsi : debout ou assis, le tronc droit, les jambes légèrement écartées, à l'aise.

Première phase
Expirons complètement.

Deuxième phase
Aspirons par le nez. Pour commencer, nous remplissons la partie inférieure des poumons, gonflant le diaphragme vers l'extérieur. Au début, nous pouvons placer la paume de la main au niveau du diaphragme, afin de contrôler le mouvement.

Troisième phase
Nous remplissons la partie médiane des poumons.

Quatrième phase
Nous remplissons la partie supérieure des poumons, en soulevant la poitrine et les côtes, en inspirant au maximum.

Cinquième phase
Nous expirons lentement par le nez, en commençant par le bas comme pour l'inspiration, de façon contrôlée et en gardant aussi peu d'air que possible.

Ces cinq étapes doivent se pratiquer lentement, de façon coulante, rythmée, contrôlée, et non pas saccadée, séparée, indépendamment les unes des autres. Au début, pratiquons ce cycle 5 ou 6 fois tout au plus, puis augmentons-en le nombre lentement et graduellement.

Il nous faut arrêter au moindre étourdissement. De plus, patience et contrôle sont de rigueur.

Pratiquons cette respiration quotidiennement, de façon à créer l'automatisme, nous en bénéficierons grandement.

Respiration de nettoyage

Le tronc droit, respirons alternativement par une narine puis par l'autre.

Fermons la narine droite avec le pouce droit : inspirons par la narine gauche. Fermons la narine gauche avec l'index droit ; ne serrons pas le nez exagérément. Expirons très très lentement par la narine droite. Ensuite, inspirons par la narine droite. Pinçons de nouveau cette narine. Libérons la narine gauche et expulsons lentement l'air. La narine droite reste bouchée. Inspirons par la narine gauche. Bouchons la gauche, et expirons par la droite. Inspirons par la droite pour expirer par la gauche et ainsi de suite. Le tout se fait lentement, en maintenant le même rythme régulier, contrôlé. Au moindre étourdissement, arrêtons. Au début, nous pouvons répéter le cycle complet 3 fois de suite ; ensuite, l'augmenter graduellement, sans précipitation.

Ces deux exercices respiratoires pratiqués régulièrement produisent sur l'organisme un effet tonique extraordinaire. Ils favorisent considérablement l'activité intellectuelle et la concentration. Ils combattent les troubles nerveux, émotifs, fonctionnels et organiques. Ils influent sur la digestion, les reins, le métabolisme, la circulation et le rythme cardiaque. Les insomnies, les dépressions, l'irritabilité peuvent être ainsi éliminées.

Le prana

Dans le hatha-yoga, on parle constamment du prana. Ainsi, pour le yogi, le prana n'est rien d'autre que *l'énergie universelle*. C'est la force vitale qui pénètre tout de façon plus ou moins dynamique ou statique, y compris l'air que nous respirons.

PRANA = ÉNERGIE = ÉLECTRICITÉ = MAGNÉTISME = VITALITÉ

Le yogi croit que le prana est polarisé, qu'il y a un prana positif et un prana négatif. Sa respiration est ainsi polarisée par cette puissance électromagnétique vitale. Par la respiration contrôlée, notre corps peut s'approvisionner en énergie vitale polarisée (prana), en emmagasiner, et augmenter ainsi sa vitalité. C'est une manifestation d'ordre bioélectrique.

On a longtemps ri de ces affirmations, mais au Collège de médecine de la Californie, on a constaté que les poumons humains émettent des courants électriques. Lorsque nous respirons, il se produit des courants électromagnétiques le long de la colonne vertébrale.

La respiration profonde, complète, contrôlée, agit bénéfiquement sur notre psychisme et notre santé.

Les postures

Il y a 84 principales postures de base, d'où découlent au moins 84 000 variantes. Au point de vue pratique, nous pouvons nous contenter d'apprendre et de pratiquer une douzaine d'asanas (postures).

Tout asana comprend trois étapes :
1. la prise de l'asana ;
2. la conservation de l'asana ;
3. le retour à la position de départ.

Le mouvement de yoga n'est jamais saccadé, brusque, précipité, rapide. Au contraire, il est plutôt lent, contrôlé, conscient, harmonieux, bien rythmé.

Dans la pratique des sports, dans la gymnastique et la culture physique occidentale, les mouvements sont souvent rapides et brusques, ce qui produit un effet de choc sur l'organisme et brûle de l'énergie. Au contraire, dans le yoga, l'harmonie du mouvement masse les organes internes, contracte les muscles au maximum, influence le métabolisme, *avec un minimum de dépense d'énergie*, tout en apportant des résultats maximums. L'essoufflement ne doit donc pas se produire. Si cela arrive, une relaxation s'impose. Le tout se fait en douceur, sans violence, « au rythme continu d'une fleur qui ouvre ses pétales », comme dit Kerneiz.

Pour bien pratiquer les asanas, nous devons éliminer tout esprit de compétition avec nous-mêmes ou avec d'autres, en nous concentrant plutôt sur ce que nous faisons. Il faut se dégager de soi, se libérer de toute sensation de lutte, de réussite ou d'échec. L'atmosphère du yoga est empreinte de sérénité.

La relaxation

L'être humain moderne est tendu physiquement et psychiquement. Ainsi, ses muscles, ses vaisseaux sanguins, tout son corps est rarement détendu complètement, même durant le sommeil. Par la relaxation yogique, la tension musculaire et nerveuse est ramenée à une intensité normale pendant les périodes actives et à une décontraction plus ou moins totale durant les moments de relaxation et de sommeil.

La relaxation complète est un art, une science que chacun devrait maîtriser. Ce n'est qu'une habitude à acquérir.

Pour accentuer l'efficacité de la relaxation, on peut faire précéder chaque séance d'une période d'étirement dans tous les sens, ou d'asanas (postures). Suivons l'exemple des chats. N'oublions pas que deux ou trois élongations, bien soutenues, valent mieux qu'une avalanche de mouvements saccadés.

Levons les bras au-dessus de la tête, allongeons-les, étirons-les aussi haut que possible pendant quelques secondes, comme si nous désirions toucher le plafond. Penchons-nous à gauche, à droite, en avant, en arrière, tout en gardant les bras allongés... relâchons.

Étendons les bras en croix, parallèlement au plancher, et allongeons-les, étirons-les pendant quelques secondes... relâchons.

Procédons de la même façon avec les jambes. Dans une position assise, ou de préférence couchée, levons les pieds et les jambes de terre. Allongeons-les, étirons-les autant que nous pouvons pendant quelques secondes... relâchons.

Prenons une douzaine de respirations très profondes. Restons couchés de préférence, assis dans certains cas et procédons maintenant à la pratique de la relaxation (qui peut aussi servir à la thérapie durant le sommeil). Le tout peut être dicté soit par le thérapeute de vive voix, soit sur disque, soit sur cassette, ou tout simplement mentalement.

Si nécessaire, relaxez, détendez-vous, décontractez-vous deux ou trois fois de suite, et même plus si vous en sentez le besoin dans certaines parties du corps.

Les orteils du pied gauche, détendez, relâchez, relaxez.
La cheville du pied gauche, décontractez, relaxez.
Tout le pied gauche, relâchez, décontractez, relaxez.
Le mollet de la jambe gauche...
Le genou de la jambe gauche...
La cuisse de la jambe gauche...
Chaque muscle, chaque vaisseau sanguin, chaque cellule de la jambe gauche, détendez, décontractez, relaxez.
Toute la jambe gauche...
La jambe droite, même procédé.
Les organes génitaux, relâchez, détendez, relaxez.
Les fesses...
Les muscles abdominaux...
La partie inférieure de la colonne vertébrale...
La poitrine...
Le coeur...

La partie supérieure de la colonne vertébrale...
Toute la colonne vertébrale...
L'épaule gauche...
Le biceps gauche...
Le triceps gauche...
Tout le haut du bras gauche...
Le coude gauche...
L'avant-bras gauche...
Le poignet gauche...
Les doigts de la main gauche...
Toute la main gauche...
Tous les muscles, les vaisseaux sanguins, les cellules du bras gauche...
Le bras droit, même exercice.
Le cou...
La nuque, relâchez, décontractez, relaxez.
La mâchoire...
La langue...
La gorge...
Les joues, relâchez, décontractez, relaxez.
Les yeux et les paupières...
Le front...
Toute la figure...
Le cuir chevelu...
Chaque cellule de votre tête...
Chaque cellule de votre corps...
Tout votre corps...

Laissez-vous aller de plus en plus. Détendez-vous de plus en plus. Ressentez de plus en plus cet état de bien-être, de repos, de paix.

On peut intégrer à la méthode précédente bien d'autres suggestions.

Par exemple

1. Imaginez que votre corps est une grosse marionnette. Tous vos membres sont comme en ligne. Vos mains sont attachées légèrement à vos poignets par une ficelle. Vos avant-bras sont attachés à votre coude par une autre ficelle. La même chose pour chaque partie du corps : la tête, le tronc, les jambes, etc. Toutes les ficelles reliant les parties de votre corps sont complètement déliées, détendues, relâchées.

2. Chaque partie de votre corps est un ballon. Chaque partie se dégonfle et repose inerte, sans vie.

La relaxation mentale

Pré-requis

Relaxation physique précédente.

Rappelez-vous ou imaginez-vous un paysage plaisant de montagnes, à la campagne, au bord de la mer, d'un lac, des fleurs, un ruisseau qui coule, des petits oiseaux qui chantent... Intégrez-vous à cette expérience, vivez-la. Écoutez la musique de la nature. Promenez-vous dans ce décor enchanteur. Jouissez-en. Répétez cette expérience régulièrement. Le tout vous apportera une détente mentale très efficace.

La relaxation spirituelle (pour les croyants)

Après les deux exercices physiques et mentaux précédents, vous serez en mesure de passer à la détente spirituelle. Qu'est-ce au juste que la détente spirituelle ? Ce n'est rien d'autre que l'abandon, l'oubli de soi dans cette Présence, dans ce Silence Intérieur. Sommes-nous conscients de cette Présence en nous, maintenant, toujours ? Sinon, expérimentons cette Réalisation qui transformera tous les aspects de notre vie, de notre santé. Cette Réalisation nous décontractera, nous relaxera, puisque nous serons à la Source de toute relaxation.

Toutes ces techniques de relaxation calment le système nerveux, dissipent la fatigue résultant du travail, du stress, et permettent une diminution de la sensibilité à la douleur. Notre genre de vie actuel nous prédispose à des tensions intérieures et extérieures souvent constantes. Il est donc très important et agréable d'apprendre à se relaxer à volonté. La santé en dépend.

Conclusion

Le yoga peut en effet transformer la santé d'une personne en quelques semaines, en quelques mois. Le yoga demeure certainement un moyen efficace d'entretenir sa santé.

TECHNIQUES DE CONDITIONNEMENT PSYCHIQUE

Tout ingénieur possède une technique, une méthode de travail pour construire un gratte-ciel, un pont, un engin compliqué. Nous devons aussi posséder une ou plusieurs techniques pour gouverner, contrôler et diriger notre vie psychique et notre santé. Rien n'arrive par hasard. Tout est ordonné et soumis à des lois.

Si nous faisons bâtir une maison, nous nous intéresserons intensément au plan de cette maison. Nous verrons à ce que les constructeurs s'en tiennent à ce plan. Nous verrons à ce qu'ils choisissent les meilleurs matériaux. Qu'en est-il de notre plan mental et émotif de santé et de bonheur ? Notre santé dépend en grande partie des matériaux mentaux que sont nos pensées, nos émotions et notre imagination. Notre santé est constamment en construction à toute heure et à tout moment. Entretenons uniquement de saines habitudes.

L'habitude est la fonction de notre subconscient. Nous avons appris à marcher, à danser, à nager, à conduire une voiture, en répétant tout d'abord consciemment ces activités maintes et maintes fois jusqu'à ce qu'à la longue notre subconscient prenne la relève, à mesure que l'habitude fut acquise. Nous sommes libres de choisir de bonnes ou de mauvaises habitudes. Si nous répétons les mêmes pensées et les mêmes actions négatives pendant une certaine période de temps, nous serons contraints par la force de l'habitude de les poursuivre. La même règle s'applique, il va sans dire, aux bonnes habitudes.

Méthode de conditionnement des réflexes

Considérant l'être humain comme une créature d'habitudes, Pavlov résume toutes nos activités émotives en trois processus fondamentaux :
1. l'excitation (réaction spontanée heureuse) ;
2. l'inhibition (réaction de freinage) ;
3. la dis-inhibition (le défoulement).

La base de la vie bien vécue, c'est l'excitation (réaction spontanée heureuse). Pour plusieurs, ce principe est difficile à accepter. Cependant, admettons que nous sommes conditionnés par notre milieu, par notre culture, par notre civilisation, par notre passé, par notre subconscient, par nos habitudes. Nous vivons tous conditionnés par nos émotions.

Nous ne nous contrôlons pas, nos habitudes nous contrôlent. Nous pensons avec nos habitudes et nos habitudes déterminent nos pensées. Notre volonté dépend de nos réflexes conditionnés. Nous agissons très peu par logique. Notre logique est constamment influencée par nos habitudes émotionnelles. La personnalité n'est pas une question de logique, c'est plutôt une question de sentiments, d'émotions. De grands intellectuels ont souvent une personnalité sans éclat.

Comment maintenir une santé émotive équilibrée quand on vit en société ? Comme un chien bien élevé, nous sommes tenus à un minimum d'inhibitions qui nous permet de vivre en société, sans aucune inhibition superflue pour nous frustrer ou nous empêcher d'être heureux.

Quatre-vingt-dix pour cent des personnes qui se considèrent comme extraverties sont en réalité inhibées. La personne équilibrée est ouverte, directe. Quand elle affronte un problème, elle agit immédiatement du mieux qu'elle peut, de façon constructive, d'après son expérience. Elle aime naturellement les gens et ne se tracasse pas à cause de l'opinion d'autrui. Elle a l'habitude des décisions rapides et aime les responsabilités. Cette personne est libre de toute anxiété. Elle est vraiment heureuse et en santé.

Pour nombre de psychothérapeutes, la solution aux problèmes psychiques réside dans l'augmentation du niveau d'excitation. Que le problème soit l'alcoolisme, le bégaiement, l'homosexualité, la gêne, les tics, la dépression ou tout autre, la solution est la même.

Lorsqu'on vit en contact avec des individus qui présentent ces problèmes, mettons-nous à leur niveau et sur leur longueur d'ondes. Nous pourrons mieux les aider en employant dans ces relations leur langage et leur vocabulaire. Nous savons que chaque individu est conditionné par son langage. Ainsi, adaptons-nous constamment à chacun d'eux. Par exemple, ayons avec l'homme d'affaires très sociable le sens de l'humour ; avec l'intellectuel, l'esprit analytique ; avec le masochiste, soyons très sévères. En d'autres mots, adaptons-nous à la personnalité de chacun.

L'élément principal que nous devons considérer, c'est le passé de l'individu. Servons-nous de ce passé pour changer l'avenir. Procédons comme suit :

1. Inciter l'individu à exprimer constamment, sans retenue, à tout moment, à haute voix, ce qu'il ressent de positif, ce qu'il approuve, ce qui le réjouit :
— *Je suis donc content que la fin de semaine arrive !...*
— *Ma petite femme, je t'aime !...*

— *Je ne m'en fais pas !...*
— *Ça ira mieux demain !*
— *Que la vie est belle !*
— *Il y a encore des honnêtes gens !*
— *Quel bon repas !*

Dans certains cas extrêmes d'inhibitions seulement, l'individu est encouragé à exprimer ouvertement, oralement, sans retenue, spontanément tout ce qu'il désapprouve.

2. Encourager celui-ci à s'extérioriser constamment en manifestant ses émotions dans son expression faciale, dans sa mimique, dans ses gestes, de façon à ce que tout son corps vibre.

3. Lui faire employer délibérément à haute voix les mots « je, me, moi » le plus souvent possible dans sa conversation.

4. Quand on le louange, quand on l'apprécie, il doit approuver sans ambages, immédiatement, tout simplement en disant : « Merci ».

5. Il faut que l'inhibitif *ose, ose, ose* constamment, toujours. L'équilibre, la spontanéité heureuse appartient uniquement à ceux qui osent, qui osent encore, qui osent toujours.

Le réflexe d'excitation équilibré, spontané, ne peut s'apprendre qu'en pratiquant en société, avec des gens, comme on apprend à nager uniquement dans l'eau. Il va sans dire que le tout devrait se pratiquer comme un jeu, avec un certain sens de l'humour.

Trop d'inhibitifs ont peur de perdre le contrôle de leurs émotions, quand en fait c'est ce qui souvent dans une certaine mesure les guérirait. Pourquoi ? Ils souffrent de constipation émotive. En devenant plus spontanés, moins refoulés, ils seraient moins nerveux. L'excitation est pour l'inhibitif comme la pluie. Tout est souvent mouillé, trempé, mais l'atmosphère est purifiée.

Certains, avec raison, craindront l'exagération. Au début, c'est souvent le cas. Il s'agit tout simplement d'une crise de désintoxication psychique, plus ou moins longue selon le cas. Cependant, il est étonnant de constater qu'en général, après quelques semaines ou quelques mois, le sujet retrouve son équilibre.

Tout changement d'habitudes, quelles qu'elles soient, produit une certaine tension, un stress ou une friction. Le menuisier qui rabote une planche sait que par le fait même, de la chaleur due à la friction se produit. Il en va de même pour tout changement d'habitudes. Au début, les exercices de conditionnement peuvent être inconfortables pour le patient comme pour ceux qui l'entourent. En très peu de temps, cependant, le tout se passera et deviendra une habitude acceptée. Après quelques mois, l'inhibitif arrive à l'équilibre, au juste milieu de la spontanéité heureuse.

Voici un exemple de conditionnement à l'excitation. Mlle Y., âgée de 40 ans, très maigre, très gênée, susceptible au possible, mesure près de 6 pieds. Elle souffre de dépression et d'un constant complexe de persécution. En plus, elle se plaint de constipation et d'insomnie.

À l'école, elle a toujours dépassé de plusieurs pouces toutes les autres élèves. Lorsqu'elle désobéissait, ses parents prenaient plaisir à l'humilier en l'appelant « la grande efflanquée », raconte-t-elle. De plus, un de ses professeurs l'appela pour badiner « le géant Beaupré ». À partir de ce moment, toutes ses compagnes l'appelèrent ainsi.

Vingt ans après, elle arriva à mon bureau tout désespérée, déprimée, ayant perdu tout goût à la vie, malade, encore traumatisée par ces événements.

Tout en rectifiant son alimentation et en lui montrant les différents facteurs naturels de santé, je lui appris à relaxer et je lui prescrivis plusieurs exercices de conditionnement à pratiquer tous les jours pour surmonter son inhibition.

La clé d'une psychothérapie efficace réside dans le conditionnement, dans le développement d'habitudes saines : physiques, mentales et émotives, le plus tôt possible.

Elle mit en pratique les cinq étapes de la méthode de conditionnement des réflexes, en commençant à pratiquer à mon bureau. Elle écrivit son but, son plan et les moyens qu'elle croyait devoir prendre pour le réaliser. Elle lut son plan quotidiennement pour garder vifs sa motivation, son enthousiasme, sa confiance. Elle réussit ainsi à changer l'image qu'elle avait d'elle-même en employant la méthode de cinéma mental qu'on trouvera un peu plus loin dans cet ouvrage.

Après quatre mois de visites régulières, elle était transformée, coquette, féminine. Pour la première fois en 15 ans, elle fréquentait un homme. Elle s'était aussi trouvé un nouveau travail de secrétaire. Elle était fière d'être grande, même si son ami avait trois pouces de moins qu'elle. « Il aime les grandes femmes élégantes », dit-elle au cours de sa dernière visite. Elle s'était acceptée, elle acceptait ses amis tels qu'ils étaient sans désirer les changer. Elle était heureuse, normale, en santé. Ses constipations, ses insomnies n'étaient plus que de mauvais souvenirs.

Pour changer notre façon de vivre, nous devons *vivre de façon changée*. Pour plusieurs, ce sera une vérité de La Palice, qui n'en demeure pas moins un principe fondamental de la méthode de réflexes conditionnés. Réapprenons à vivre avec spontanéité. Acceptons les gens tels qu'ils sont et faisons-nous accepter tels que nous sommes. Vivons et laissons vivre. Si on ne nous aime pas, il ne faut pas s'en faire. « On ne peut contenter tout le monde et son père ».

Dans la mesure où nous changeons ce que nous disons et ce que nous faisons, nous changeons ce que nous ressentons et ce que nous pensons. Pour changer notre caractère, il nous faut changer notre façon d'agir :
Pour devenir enthousiastes, il nous faut agir *comme si* nous étions enthousiastes.
Pour devenir entreprenants, il nous faut agir *comme si* nous étions entreprenants.
Pour être heureux, il nous faut agir *comme si* nous étions heureux.

Ainsi nous développerons des habitudes de santé, nous nous conditionnerons à les vivre.

La suggestion durant le sommeil

La suggestion durant le sommeil s'appuie sur le principe selon lequel le subconscient est très réceptif aux suggestions, lorsque le sujet se trouve dans un état de relaxation, de rêverie, et surtout de sommeil. Comme on le sait, notre subconscient ne dort jamais. Durant notre sommeil, notre subconscient nous empêche de rouler en bas du lit. C'est ce qui fait également qu'une mère peut dormir au milieu d'une circulation très dense, du tonnerre, du ronflement de son mari, et se réveiller au moindre petit bruit de son bébé. En effet, notre subconscient ne dort jamais. Il est actif 24 heures par jour. L'électro-encéphalographe nous le prouve. La puissance de notre subconscient peut être canalisée et dirigée selon notre choix.

La technique de la suggestion durant le sommeil remonte à plusieurs milliers d'années, au temps des pharaons, et probablement avant. Les prêtres égyptiens inculquaient des idées, des pensées, des images de santé, de bien-être, d'équilibre, d'harmonie, de confiance dans le subconscient de leurs sujets, lorsque ces derniers dormaient. Les résultats étaient extraordinaires. À l'époque on les considérait comme miraculeux. Les Grecs ont continué cette pratique avec succès.

Aujourd'hui, cette thérapie, améliorée par la technique moderne, par l'électronique, par les recherches récentes, rend de fiers services aux psychosomaticiens et à toute personne désireuse de rayonner de santé.

De nombreuses recherches furent entreprises au cours des dernières années à l'Université de la Caroline du Nord, à l'Université de la Californie, au *William and Mary Parsons Training School*, à l'Université de Georgetown, à la *Northside Clinic* de New-York, à l'*Institute of Logopedics*, pour ne nommer que quelques institutions américaines.

L'accouchement sans douleur est devenu une réalité derrière le rideau de fer, grâce à cette méthode. En 1951, l'Union soviétique décréta une loi rendant obligatoire l'usage de cette méthode de suggestion durant le sommeil pour toute femme enceinte, sous les soins d'un médecin.

De nombreuses compagnies américaines emploient cette technique pour développer, pour améliorer la personnalité de leurs employés et de leurs vendeurs. Entre autres, la *Minnesota Mining and Manufacturing Company* se sert de cette méthode depuis de nombreuses années.

L'application thérapeutique de la suggestion durant le sommeil a fait ses preuves. Le docteur Ernst Schmidhofer, directeur du Service neuropsychiatrique du *Memphis Veterans Administration Hospital*, nous confirme que cette méthode n'est pas efficace uniquement en théorie mais aussi en pratique. Il s'agit de l'appliquer pour en être convaincu. Le docteur James Odell, du *Kansas Training School*, a obtenu des résultats étonnants, en moins d'un mois, auprès d'enfants retardés.

Au *Woodland Road Camp*, près de Visalia, en Californie, les prisonniers qui le désiraient ont bénéficié de cette thérapie durant leur sommeil. Quelques semaines après avoir adopté cette méthode de réhabilitation, on remarqua une nette amélioration chez ceux-ci. Leurs problèmes d'alcoolisme, leurs complexes, leurs dépressions, leurs refoulements, leurs peurs étaient presque éliminés. Leur réadaptation à une vie saine et normale était de beaucoup facilitée.

L'emploi de cette thérapie est très poussé et généralisé en Union soviétique. Les médecins soviétiques sont convaincus que cette méthode améliore l'état de presque tous leurs patients. Le professeur D.P. Tchukrienko, de Kiev, confirme que cette méthode est appliquée intensément dans les hôpitaux de Kiev, Lvov, Odessa, Kherson, Rovno, Dnieperpetrovsk, Drogovitch. On continue de faire des recherches à Kiev et à Lvov pour améliorer encore plus l'efficacité de cette psychothérapie.

Certains praticiens intègrent cette technique aux nombreuses méthodes qu'ils ont à leur disposition. Ici même au Canada, nous connaissons plusieurs thérapeutes de différentes écoles de guérison qui emploient avec succès cette technique.

Le praticien de l'approche holistique peut aider ses patients par la suggestion d'idées et d'images qui imprègnent leur subconscient durant leur sommeil et leur font:

1. acquérir des habitudes de santé et les garder, éliminer leurs habitudes négatives, tant physiques que mentales;
2. les font se détendre, se relaxer;
3. maintenir constamment un équilibre intérieur d'harmonie, de confiance, de joie, de sérénité;
4. éliminer certains troubles psychiques.

Le modus operandi

On peut pratiquer cette thérapie très simplement et de façon peu coûteuse en suggestionnant *directement* l'individu environ une demi-heure à une heure après qu'il se soit endormi. Il s'agit de lui parler à voix basse de façon positive, en lui inculquant et en accentuant — au début surtout — un seul point à la fois, c'est-à-dire l'habitude à acquérir. On répète le tout au moins trente fois chaque séance. Cette méthode a été employée efficacement ici même, à Montréal, par de nombreux thérapeutes qui ont réussi à débarrasser leurs patients de toutes sortes de mauvaises habitudes, comme celles de se ronger les ongles, de mouiller leur lit, d'avoir peur dans la noirceur, de fumer, de manger du chocolat, des chips, de boire des boissons gazeuses. Ils leur ont plutôt inculqué le goût des fruits, des légumes et de tous les aliments sains et naturels.

Cette méthode *directe* de suggestion ne s'avère guère pratique dans certains cas. Alors, l'équipement électronique moderne nous est d'un grand secours. Voici l'équipement nécessaire pour pratiquer efficacement cette thérapie :

1. Un magnétophone ;

2. Un ruban avec un mécanisme de « répétition continuelle automatique ». Une fois le message enregistré, le ruban « sans fin » ne cesse de répéter automatiquement le message à volonté ;

3. Une horloge-chronomètre électrique qui fait fonctionner le magnétophone et l'arrête automatiquement à des heures déterminées.

IL EST TRÈS IMPORTANT QUE...

a) ... le sujet croit à l'efficacité de cette méthode. (Il faut stimuler et

motiver la confiance du sujet avant de commencer l'application de cette technique.) ;
b) ... la relaxation profonde et complète soit suggérée au début sur le ruban. (Cette relaxation est souvent le facteur déterminant les résultats.) ;
c) ... la suggestion soit énoncée et présentée de façon positive, optimiste et attrayante, et qu'elle préconise des résultats *progressifs, par degrés*, et non instantanés ;
d) ... les phrases soient courtes, simples, directes, et le vocabulaire accessible au patient ;
e) ... la constance, la régularité du traitement soit maintenue.

D'après les statistiques compilées un peu partout dans le monde, la suggestion durant le sommeil s'avère une méthode psychosomatique des plus efficaces.

TECHNIQUE DE VISUALISATION

La méthode du cinéma mental

La façon la plus facile et la plus expressive de rendre une idée est de la traduire en images. Une image vaut mille mots. La plus simple et la meilleure méthode pour influencer notre subconscient, c'est le contrôle consciemment dirigé de notre imagination. Je dis bien imagination et non pas volonté. Toute image que nous maintenons se manifestera un jour ou l'autre dans notre vie.

Arthur Schnabel, le célèbre pianiste de concert, n'aime pas pratiquer. Ainsi sa pratique se fait surtout dans son imagination. Plusieurs golfeurs professionnels, comme Ben Hogan, Alex Morrison et Johny Bulla pratiquent beaucoup plus dans leur imagination que sur un terrain de golf.

Que notre expérience soit réelle ou synthétique (dans notre imagination), notre subconscient, notre système nerveux et tout notre corps ne peuvent faire la différence.

À l'état de veille, notre subconscient atteint un degré de réceptivité maximum immédiatement avant le sommeil et juste au réveil. Ainsi, au réveil, durant la journée lorsque c'est nécessaire, et tout spécialement avant de s'endormir, nous devons procéder comme suit :
1. Prenons un siège confortable ou étendons-nous sur un lit où nous pou-

vons nous relaxer complètement ;
2. Relaxons profondément pour en arriver à oublier notre corps ;
3. Chassons toute pensée négative, tout doute, toute crainte, toute rancune, tout problème. Ne pensons qu'à cette puissance extraordinaire qui se trouve en nous. Voyons-nous intérieurement comme nous avons toujours voulu être : rayonnants de santé, joyeux, positifs, compréhensifs. Imaginons que nos proches et nos amis nous félicitent, se réjouissent de ce changement merveilleux dans notre état de santé. Vivons pendant quelques minutes cette expérience, sans raisonner, considérant le tout comme un jeu passionnant.

Si, durant la journée, nous doutons des résultats à venir, projetons sur l'écran de notre imagination, avec gestes, voix et tout l'accompagnement sonore le même film que nous avons projeté avant de nous endormir et à notre réveil. Cet exercice peut être répété aussi souvent que le besoin s'en fait sentir.

Cette méthode, qui fit longtemps partie du répertoire magique des occultistes, est maintenant employée de plus en plus par les psychothérapeutes. Essayons-la, nous serons émerveillés des résultats. J'en ai fait moi-même l'expérience à maintes et maintes reprises.

Un de mes meilleurs amis, qui depuis son enfance souffrait d'obésité, a appliqué cette méthode à son propre cas. Lorsqu'il s'est marié, il pesait 285 livres. Durant sa lune de miel, sa femme lui demanda s'il avait déjà essayé de se faire maigrir. Il répondit qu'il avait bien essayé à plusieurs reprises, mais qu'il avait engraissé de plus belle par la suite, prenant les bouchées doubles et reprenant le temps perdu.

Ce copain a toujours eu un très vif sens de l'humour. Nous nous taquinions continuellement. Un soir, à la suggestion de sa femme, il vint me demander conseil en ce qui avait trait à son obésité. Je lui demandai de m'apporter deux photos de lui, dont l'une en maillot de bain si possible. Au-dessus de la première, le montrant en maillot, j'écrivis : *avant*. Je pris une photo du célèbre culturiste Steve Reeves que j'avais pris soin de décapiter pour les besoins de la cause, et j'installai la tête de mon ami sur ce corps musclé. J'y écrivis au-dessus : *après*. Je lui demandai de se voir, de s'imaginer le soir au coucher, le matin au réveil, durant la journée comme s'il... possédait ce corps d'athlète. Il s'imagina aussi que sa femme et ses amis le félicitaient de sa transformation physique. Il se vit en train d'acheter de nouveaux habits qui lui allaient admirablement bien. Avec cet exercice psychique, je lui suggérai une bonne diète naturelle et de la culture physique progressive. Après 14 mois de ce régime, notre homme avait réduit son poids à 170 livres. Depuis, il n'a jamais dépassé 175 livres. À l'occasion, il saute bien quelques séances de culture physique, ou exagère un peu du côté alimentaire. Cependant, il maintient toujours dans son imagination des images d'un corps svelte et en santé, qui le ramènent à l'équilibre, au juste milieu, automatiquement.

La graphothérapie

La graphologie est la science analytique de l'écriture qui permet de déterminer la personnalité, les traits, le caractère d'une personne, ses émotions et, dans certains cas, son état de santé. Ce processus inversé peut être appliqué à notre rééducation mentale et émotive. Nous pouvons améliorer notre caractère en améliorant notre écriture, nous discipliner en disciplinant notre écriture. Ainsi, nous pouvons transformer notre personnalité grâce à la thérapie de l'écriture. Le timide devient plus extroverti, le colérique plus calme et serein, le paresseux plus travailleur. Le sujet développe ainsi sa concentration, son attention, sa volonté. L'humain étant un tout, une créature d'habitudes, en conditionnant la main... son écriture, nous conditionnons en même temps son mental, ses émotions et son subconscient.

En 1908, le docteur Edgar Berillon, psychologue, préconisait à l'Académie de médecine de Paris que la plupart des troubles de personnalité peuvent être corrigés par l'écriture. Plus tard, à la Sorbonne, le docteur Pierre Janet et lc professeur Charles Henri ont aidé de nombreux alcooliques à se guérir. Au cours des dernières années, le graphothérapeute Paul de Sainte-Coulombe a enseigné cette thérapie à l'Université de la Californie, à l'Université Loyola de Los Angeles et au *Patton State Mental Hospital*. Il traita avec succès des centaines et des centaines de déséquilibrés émotifs.

La graphothérapie est un outil des plus utiles. Elle permet de mieux comprendre et de mieux rééduquer le malade.

THÉRAPIES SPIRITUELLES

Thérapie de la pratique de la présence (pour le croyant)

Y a-t-il une fontaine merveilleuse qui nous permettrait de conserver une paix, une sérénité, une joie intérieure qui dépasse tout entendement, tout raisonnement, quoi que nous fassions, où que nous soyons, quoi qu'il nous arrive ? Si elle existait, elle aurait une influence primordiale sur notre état de santé physique, mental et émotif.

Nous pouvons découvrir, expérimenter, réaliser cette fontaine merveilleuse qu'est la pratique de la Présence en nous.

Mais qu'est-ce que cela vient faire dans le système holistique, demanderont certains ? Comprenons-nous bien, ici : il ne s'agit pas de prôner une religion plutôt qu'une autre, d'aborder des dogmes, des rituels, d'étudier un livre sacré, de faire de la théologie, d'adhérer ou de ne pas adhérer à une Église, mais plutôt de vivre, de réaliser une expérience. En effet, il s'agit d'expérimenter de plus en plus *la réalité intérieure*, la source de tout. Il s'agit de dialoguer, de vivre en tête à tête avec elle à chaque instant. Ainsi, toute notre vie en sera affectée ; notre façon de manger, de faire de l'exercice, de penser, d'imaginer, de ressentir, de réagir, de vivre, d'être en santé. Tout sera transformé, influencé par cette *Présence* qui sera devenue notre principale raison de vivre.

Toutes nos activités, nos loisirs, toute notre vie deviendra un dialogue constant avec cette Réalité Intérieure. Tout faire en, par, avec, pour cette Présence tout en continuant sa vie de tous les jours, en s'acquittant de ses obligations. Tout faire ce qu'humainement parlant nous pouvons faire, en tout et partout, et ne pas nous tracasser, nous abandonner à cette Présence en ce qui a trait aux résultats.

Nous sommes nos habitudes tant positives que négatives. Nous pouvons développer l'habitude de vivre constamment conscients de cette Présence en nous. À la longue, cette pratique deviendra une seconde nature. Notre effort, conscient du début, devient une habitude inconsciente.

N'aimerions-nous pas transformer notre vie, ne plus jamais nous sentir seuls ? Alors, dialoguons avec cette Réalité Intérieure, quoi que nous fassions et où que nous soyons. Prenons le temps de faire le silence en nous et d'écouter cette Réalité. Nous connaîtrons ainsi un réveil spirituel, qui se renouvellera constamment. Ce sera la plus enrichissante découverte de notre vie.

On vend des millions et des millions de tranquillisants tous les ans en Amérique seulement. Le tranquillisant le plus efficace et le plus naturel que nous puissions trouver, c'est d'expérimenter cette Réalité en nous, de vivre consciemment en cette Présence. C'est ce que l'ivrogne cherche dans sa bouteille, ce que le Don Juan et le « playboy » cherchent dans leurs conquêtes, ce que le narcomane croit trouver dans sa drogue, ce que le gourmand cherche dans sa nourriture. Cette Réalité n'est pas une « échappatoire », mais plutôt la source de tous les désirs, c'est l'unique désir : la Réalité Permanente.

Pour le croyant, cette pratique est une thérapie extraordinaire, une Science de vivre.

La thérapie par excellence

Quelle loi de la nature résume toutes les autres quelles qu'elles soient : chimiques, physiques, biologiques, astronomiques, psychologiques, spirituelles, etc.

Tout l'univers est maintenu par la loi de l'équilibre, la loi de l'échange rythmique équilibré. Cette loi d'équilibre qui *donne* et qui *redonne* est la loi de base ou la loi d'amour qui régit et qui résume toutes les autres. Par exemple, chaque goutte d'eau qui est donnée par le nuage au sol est éventuellement redonnée par le sol au nuage. Ce cycle de donner et de redonner se répète continuellement, sans exceptions, dans la nature. C'est ce qui maintient l'équilibre, l'harmonie, tant sur le plan physique, mental que spirituel, c'est-à-dire à chaque aspect de notre vie.

Nous ne vivons pas dans un univers chaotique balloté par la chance, la malchance ou le hasard. Tout est contrôlé par des lois. Ce que nous appelons chance et malchance est tout simplement un ensemble de lois que la plupart des gens ignorent. Que de fois n'entendons-nous pas : « Il est chanceux, lui, il est toujours en santé. Il est toujours heureux. » Ce qu'on ignore, c'est que l'homme heureux et en santé obéit aux lois de la santé, aux lois de la nature, à la grande loi d'amour : donner et redonner. L'homme en parfaite santé *donne* à son corps, à ses pensées, à ses émotions, à son subconscient, à sa vie spirituelle ce qu'il y a de mieux. En retour, son corps, ses pensées, ses émotions, son subconscient, sa vie spirituelle lui redonnent ce qu'il y a de mieux : la santé, le bonheur. C'est la loi de cause à effet. Ce que nous semons, nous le récoltons tôt ou tard, sur tous les plans. Il n'y a pas de hasard. Si nous donnons maintenant à notre corps, à notre subconscient ce qu'il y a de pire, de plus dommageable, qu'arrivera-t-il ? Ils nous *redonneront* la même chose, le déséquilibre, la maladie.

La voie royale du bonheur, de la santé, c'est le chemin de l'équilibre, de l'harmonie et de l'amour. Nous n'avons pas le choix. Nous devons aimer tous et tout, ou bien souffrir. La leçon fondamentale de vie et de santé qu'il nous faut apprendre, c'est d'aimer.

Faut-il être surpris si une équipe de chercheurs de l'Université Harvard en est venue à la conclusion que l'*Amour* est l'unique solution à *tous* les problèmes du monde.

La première étape : source illimitée d'amour

Notre première étape sur le chemin de l'amour, dans cette grande aventure de la vie, ne serait-elle pas de découvrir et d'expérimenter cette *Source Illimitée d'Amour* qui se trouve en chacun de nous ? Il ne s'agit pas d'accepter intellectuellement ce fait mais plutôt de l'expérimenter, de le réaliser, de le vivre de plus en plus à chaque instant. Que cet Amour devienne notre principale raison de vivre, le centre, la motivation de toutes nos activités extérieures.

La deuxième étape : s'aimer soi-même

Si je ne m'aime pas, je détesterai tout le monde. Il est fondamental de s'aimer soi-même pour pouvoir aimer autrui et tout le reste. « S'aimer soi-même », n'est-ce pas le comble de l'égoïsme, de l'égocentrisme ? Au contraire, bien compris, c'est vouloir pour soi ce que nous méritons tous : le véritable bonheur et la santé. Si notre corps est réellement « le temple du Dieu Vivant », n'est-il pas normal de l'aimer, de désirer pour lui la meilleure nourriture naturelle, de le soumettre à l'exercice, de le baigner d'eau, d'air, de soleil, de n'entretenir que des pensées, des images et des émotions d'harmonie, d'équilibre, d'amour, de bonté, de beauté et de vérité ? C'est l'amour qui nous motive à agir ainsi.

Tout malade peut s'entraîner à diriger régulièrement des pensées d'amour vers les parties souffrantes de son corps, vers ses cellules malades. Chaque cellule en lui a soif de cet amour, encore plus celles qui sont malades. Qu'il étanche leur soif, qu'il les rassasie, en les aimant, en les louangeant, en les bénissant, en s'imaginant la partie malade en parfait état.

Chaque homme est le constructeur d'un château, le sien : son corps. Aimons-le, il nous servira encore mieux.

Que la santé ne devienne pas notre Dieu, mais plutôt un instrument qui nous permet de mieux Le servir.

La trosième étape : le don de soi

Apprenons à nous intéresser aux gens, à les aimer tels qu'ils sont, sans les forcer à se réformer et à adopter, par exemple, nos convictions. Malgré tout, encourageons-les, aidons-les sincèrement. Apprécions-les et prouvons-leur notre désintéressement. Oui, intéressons-nous à eux, nous les comprendrons mieux, nous leur découvrirons des qualités et aussi nous les apprécierons et nous les aimerons.

Injectons-nous une dose de bonheur et de santé en nous intéressant aux autres, en apprenant à nous donner, en cherchant à faire plaisir, sans arrière-pensée, ne désirant rien en retour. Il s'agit de commencer le tout dans sa propre famille, dans son milieu. Le bonheur est fait de petites choses, de constants petits dons de soi. *Le don de soi est une thérapie merveilleuse.*

Dans la mesure où l'on se donne, où l'on cherche à faire plaisir, à apprécier les gens, on reçoit éventuellement. Si ce n'est pas de la personne à qui l'on donne c'est d'une autre. C'est la loi de la vie, le cycle de l'amour : donner et redonner.

La quatrième étape : pardonner, pardonner

Que nous soyons croyants ou non, nous devons apprendre à pardonner. Notre santé en dépend, comme nous l'avons vu dans un chapitre précédent. « Je lui pardonne, *mais*... » Cela n'est pas pardonner. Pardonner équivaut à oublier, comme si rien ne s'était passé. « C'est impossible », diront certains. Est-ce vraiment impossible ?

Tout d'abord, apprenons à nous pardonner à nous-mêmes nos erreurs passées et présentes. Il nous sera ensuite plus facile de pardonner à autrui. Apprendre à se comprendre soi-même, à se pardonner, amène naturellement à mieux comprendre les autres et à mieux leur pardonner. Nous n'avons pas le choix : pardonnons, oublions et aimons, ou bien souffrons.

On a tout avantage à employer la thérapie du pardon. Ce n'est pas autrui qu'il faut changer, c'est « *notre réaction* » envers autrui. *Nous* sommes responsables de notre réaction, de notre rancune, quel que soit le crime qu'on ait commis contre nous. C'est « *soi* » qu'il faut changer et harmoniser avec les accords de *l'Amour intérieur*.

Un art, une science de vivre : aimer

Aimer, c'est notre raison de vivre, d'être. Nous pouvons avoir tout sur terre ; si nous n'aimons pas, nous serons les plus malheureux et éventuellement nous perdrons la santé. Nous pouvons être la personne la plus intelligente, la plus riche, avoir tous les talents, posséder le meilleur, le plus compréhensif des conjoints, et avoir de bons enfants reconnaissants, bref tout ce qu'un être humain peut désirer ; mais, si nous n'aimons pas, nous serons misérables.

Il nous faut apprendre à aimer dans le moment présent tout et tous. Aimons tout ce que nous faisons. Donnons toujours le meilleur de nous-mêmes. Oublions-nous dans tout ce que nous faisons : ainsi, nous aimerons tout ce que nous ferons, et, partant, la vie prendra un autre sens. Avant de nous attendre à recevoir de la vie, apprenons à nous donner à la vie.

Entretenons un idéal, un but, quel qu'il soit. Cultivons-le. Aimons-le. Travaillons-y sans relâche. Oublions-nous dans la poursuite de ce but.

Une vie en santé est une vie remplie d'amour. Nous n'avons pas le choix, répétons-le : aimons ou souffrons.

CONCLUSION

Deux extrêmes versus le juste milieu

Certains gens qui découvrent tout à coup la puissance et le contrôle de leurs pensées, de leur imagination, de leurs émotions, croient qu'elles peuvent ainsi ignorer ou se permettre d'enfreindre toutes les autres lois naturelles de la santé comme celle de l'alimentation naturelle, de l'exercice, du repos, du contact avec le soleil, et malgré tout cela maintenir une santé rayonnante. D'autres vont à l'autre extrême. Ils voient la santé dans tous les autres facteurs, en négligeant considérablement les facteurs mental, émotif et spirituel. Ce sont deux extrêmes qu'il nous faut éviter.

La véritable santé est un équilibre entre les deux. Toute maladie est à la fois émotive et physique. Si le corps influence notre état mental et spirituel, le contraire est aussi vrai.

Le praticien de l'approche holistique : un privilégié

Le praticien de l'approche holistique voue sa vie à faire connaître les lois naturelles de la santé en aidant les gens à les appliquer dans leur vie. Pour lui, il n'y a pas de plus belle vocation que d'enseigner ces lois. Son travail sera réussi dans la mesure où il servira avec amour, compassion et désintéressement l'humanité souffrante. Il doit être pour tous un exemple vivant d'équilibre, d'harmonie et de santé.

Dis-moi qui tu fréquentes...

Que de fois dans notre enfance nos éducateurs nous ont-ils répété : « Dis-moi qui tu fréquentes, et je te dirai qui tu es ». Nous pouvons paraphraser ce proverbe en disant : « Dis-moi quelle nourriture, quelles pensées, quelles images, quelles émotions tu fréquentes , et je te dirai qui tu es et quel sera ton état de santé. »

Table des matières

QUATRIÈME PARTIE

Lithographié au Canada
sur les presses de
Métropole Litho Inc.

Le docteur Foisy donne des conférences gratuites et des ateliers uniques mensuellement. Tous ceux qui aimeraient y assister peuvent se renseigner au (514) 388-1402 ou écrire à : C.P. 26, Station Youville, Montréal (Québec) H2P 2V2.